最高年収6602万円の
BtoB営業ウーマンが教える

おじキラー営業術

加藤夏美
外資系IT法人営業／
元日本IBM株式会社

おじさんとの
本音の「コミュ力」を
身につけて、
楽しく働いて
たっぷり稼ぐための
成功法則

standards

はじめに

新型コロナウィルスの感染拡大により、テレワークや在宅勤務をベースにした、オンラインによる商談が激増しました。

オンライン商談でリアルな人間関係が構築できなくても、お客様のニーズが強ければ売れる製品がＢｔｏＢ（Business to Business＝法人から法人への企業間取引）の中でも増えています。そのことにより、インサイドセールスによるセリングやリモートセリングの科学的な営業手法が、世の中ではもてはやされています。

事実、単価の安いクラウドやＳａａＳ（Software as a Service＝クラウドにあるソフトウェアを、ネット経由してユーザーが利用できるサービス）のようなものは一度も直接会うこともなく、バンバン売れています。なぜかというと、少額かつ、いつでも解約できるものは、稟議プロセスを

通さずとも部門の予算で購入できるからです。

つまり、失敗しても会社の実害は微小であるため、リスクは小さく済みます。また、一部の大手IT企業では、海外のようにコンサルタントや技術職がいれば、営業がいなくても問題なく売ることができると勘違いして、営業職を激減させているところもあります。

でも、よく考えてみてください。以前はＦｔｏＦ（Face to Face＝直接対面で行われる取引）でしか売れなかったものが、コロナ禍を機にＮＯＮ ＦｔｏＦで売れているとしても、それらはもともとＦｔｏＦをしなくても売れていたものなのです。

つまり、人間関係をつくる前に売れたのに、無駄にＦｔｏＦの工数を増やしていただけなのです。**コロナ禍以前も、コロナ禍以降も人間の本質は変わっていません。**

そして、**本当にＦｔｏＦが必要なものについては、オンラインからＦｔｏＦに戻ってきています。**

また、重要な情報は録画やコピーなどされたら困るので、お客様はオンラインでは本音を語ってくれません。

ましてや高額な製品、カスタマイズが必要な製品やサービスは、お客様がサラリーマン人生をかけて投資をするので、トラブったときに助けてもらえないと困るため、信頼関係ができていない人からは、怖くて買えません。

つまり、営業の仕事で本当に重要なのは「人間関係・信頼関係」なのです。

人間関係を最短でつくるのに有効な方法のひとつとしては「おじキラー」（＝おじさん世代の上層部を味方につける手法の使い手）になることが最短の近道です。第5章で詳しく書きますが、ここでいう「おじさん」とは、30代半ばから50代の、現役でバリバリ働いている、仕事のできる男性のことを指しています。

雇用機会均等法が成立してから、かなりの年数が経っていますが、**残念ながら日本はまだまだ男性社会ですし、隠れ男尊女卑文化が根づいています。**

つまり、男性も女性も「おじキラー」になることが、営業職以外でも仕事を円滑に回すには必要な能力となっているのです。

ちょっとした意識の変化ができれば、誰でも「おじキラー」になれます。ぜひ、この本を読んだ日から「おじキラー」になるためのノウハウを実践していただき、あなたの社会人人生が今まで以上にキラキラ楽しいものになることにお役に立てられると、うれしいです。

ところで、ビジネスマンとして稼げるようになったといえるひとつの基準は、お金でいうといくらくらいになるでしょうか？

きっと多くの人は年収1000万円が目安になるのではと、私は思っています。

国税庁の『令和2年分　民間給与実態調査』によると、年収1000万円超の給与所得者の割合は全体で4・6％であり、男性は7・1％、女性は1・1％になります。つまり、ごく限られた人が年収1000万円越えになります。年収1000万円を目指せる職業としては、営業職、コンサルタント職、士業などがあげられます。

コンサルタントや士業という職業は頭がよく、かつ高度なスキルが必要です。また、求人要件もかなりハードルが高く、誰でも就ける職業ではありません。

一方、営業職は求人も多く、高度なスキルを必要としない場合も多く、なろうと思えば誰でもなれる職業です。営業と聞くと、「数字のプレッシャーがつらい」とか「ノルマを達成するためには押し売りをしないといけない」といった勘違いしたイメージをもっている人が、いまだに世の中に多くいるかもしれません。

ですが、営業とは、世の中にあるよいものをお客様にお伝えするとともに、よいものをお届けするという、とても人の役に立つ仕事なのです。

どんなに腕がいい料理人がいても、山奥で宣伝もせずにやっていたら、おいしいということが多くの人に広がらず、その素晴らしい料理を食べてもらうことはできません。

ですから「よいものがここにあるよ!」と、伝える人がとても重要になります。売上をあげて稼いでいる多くの営業は、そのことに気がついて、使命感をもって働いています。

また、営業は、取り扱う製品やサービスが異なっても、製品やサービスの深い知識を持った社内外含めた能力のあるメンバーのサポートがいれば、どんな業種においても、力を発揮できる使い回しのできる職業です。

目に見える力ではありませんが、仕事や生活をする上で、無駄にならない能力といえます。

売れる営業が、いつもどのようなマインドで仕事をし、コミニュケーションしているのかを知り、日々の仕事や私生活で真似をしていただくことで、あなたも簡単に、かつ知らない間に習得することが可能です。

「真似やカンニングは成功の最短ルート」だと、私は自身の経験をもって、痛感しています。

子供の頃は、他人を真似したり、カンニングしたりするのは、恥ずかしかったり、ダメなことでしたが、**ビジネスの現場では、「真似ること」を大いに活用することが、成功の一番の近道です。**

ぜひ、私が長年かけて気づいたことを短期間で「真似っこ」して、金銭的余裕・時間的余裕・心の余裕のある生活を送ってください。

加藤　夏美

もくじ

第1章　平均年収1800万円稼いだ営業が大切にしていること

第2章 稼げる営業マインド

第3章 稼げる営業のコミュニケーション

第4章 巻き込み作戦

第5章 おじキラー営業のノウハウ（奥の手）

序　章

「できない」私が「できる」営業パーソンになるまで

「外資系ＩＴ企業の法人営業」と聞いたら、あなたは、英語が話せて、背が高くて美人のバリバリキャリアウーマンを想像したかと思います。

しかし、実際、私は身長１４９cmのちびっこちゃんで童顔。しかもＴＯＥＩＣの点数が５２５点と、英語が苦手。外資系なので６００点をとれないと昇進試験が受けられないし、また、海外出張にも行けません。

しかも、営業なのにパワーポイントの資料作りが苦手で、資料のビジュアル的なセンスもない。ＩＴリテラリシーも低く、本や資料を読むのも不得意と、欠点だらけ……。

ですが、こんな私でも、営業パーソンとして稼ぐことができるのです。

欠点だらけ、スキルの低い人でも稼げるようになるマインドやコミニュケーションをこの本で伝授します。そして、読んだあなたは、「収入がアップする」だけでなく、「会話力もアップ」、「日々の生活において心が平穏」、「精神的な余裕」、「人間関係の改善」、「時間的の余裕」が得られるようになります。

私は、会社員をしながらも経済的・精神的・時間的な自由を手にして、多くの仲間に囲まれ毎日楽しく生活しています。ですので、今は「リア充」ですが、30代後半くらいまでは、本当に辛いビジネスマン人生でした。

具体的な営業術をお伝えする前に、私の人生について少しお話しするので、お付き合いください。

■「悪ガキ」だと思われていた子ども時代

私が生まれ育ったのは、両親も平凡なサラリーマンの家庭でしたが、決してお金に余裕がある家ではありませんでした。

小学生のときに椅子に防災頭巾を置いていたのですが、新品を買ってもらえず、近所の子のお古を使っていました。百歩譲ってお古なのはいいのですが、モデルチェンジしていて、みんなと違うデザインで、とても恥ずかしかったものです。

父は、土、日曜日は、趣味で少年野球の監督をしていました。家において話題の中心は、野球をやっている弟でした。授業参観も弟や野球に来ている男の子たちを父が参観しており、私のところにはあまり来てくれませんでした。

躾《しつけ》は厳しく、口答えしたり、夜遅くなったり、手伝いをしないと、すごい剣幕で怒られました。ですから家では余計なことは言わないようにして、怒られないようにしていました。父の機嫌がいいことが家族の平和でした。

このような家庭で育った私ですが、学校や外では元気いっぱいでした。

自分ではまったく気がつかなかったのですが、中学に入ったときに小学校の担任の先生から「この子は不良になるかと思いました」と言われるくらい、悪ガキだったようです(学校で有名な不良の人たちとは仲良くはありませんでしたが、みんな知り合いでした)。

同級生や近所の人も同じように思っていたそうで、私が都立高校の中堅レベル、そして大学は中央大学に行ったことに驚いたようです。

大学では競技スキーサークルとバイトばかりして勉強をせず、カンニングがバレて追試を受けたりと落ちこぼれでした。ゼミでは、勉強熱心なゼミに入ってしまったことを後で知り、辞めさせて欲しいと教授に直談判しにいきましたが受け入れられなかった、というエピソードもあります。

■就職氷河期／証券会社の飛び込み営業

就職氷河期もあり、就職は三流の証券会社に入りました。高校生のときから野村証券に行くと決めて、経済学部に決めたのに、いきなりの挫折です。

阪神大震災やサリン事件の後で経済が落ち込んでいるなか、個人宅への飛び込み営業は日々辛いだけの一言でした。

「数字を上げるまで帰ってくるな」、「残業しろ」という厳しい環境。外回りに出かけるフリをして、同僚とファミレスに行ったり、公園で時間を潰していたりしました。踏切の前に立つと「電車にぶつかれば、しばらく会社を休めるのにな」と日々、真剣に思ってました。

そのような中でも、担当地域の個人事業主の社長に好かれて、新規で取引をしていただけるだけでなく、奥様から毛皮をいただいたり、息子の嫁になってくれと言われたりして、お客様にはかわいがっていただきました。

面白エピソードとしては、ある犬の前を通るたびに手をふっていたのですが、ある日、鎖がはずれていたようで、知らない間にずっとついてきてしまい、噛まれるのではないかと思い怖くなり、そのまま仕事にならず、お客様へ訪問ができずに、会社にも戻れないということがありました。犬にも好かれていました。

一方、私はもともと株式に興味があったのですが、株を勉強すればするほど、株式上場しながらものづくりをしている会社の凄さを感じるようになり、製造業に転職したいと思うようになりました。

公園で転職雑誌の『とらばーゆ』を読んで、ファミレスで履歴書を書きまくり、5社くらい面談に呼んでもらいましたが、受かったのは1社のみでした。

それでも「ものづくりの営業になれる!」と思ったのはつかの間、「ファイナンス営業」の中途募集であったことに入社後になって気づくという、イケてない自分でした。

■外資系IT会社に転職

仕事には恵まれたけれど、スキルが低く、毎日が長時間労働と叱咤激励の辛い日々。

証券会社では、できあがった商品を販売していたので、「パソコンができない」、「資料作成や見積書の作成もやったことがない」、「メールも使ったことがない」、「議事録の書き方もわからない」と、ないないづくしでしたが、何とか仕事を続けていました。新しい職場では、ありがたいことに自分の能力以上の仕事をたくさんいただき、毎日遅くまでパソコンと格闘していました。

今思うと単純に仕事が遅くて、時間がかかっただけだったのです。

このとき一番、辛かったのは、先輩に相談しにいくと、「じゃあ、あなたはどうしたいの?」と意見を求められることでした。厳格な父に怒られないように極力余計なことは考えない、言わないようにする習慣がついていたので、意見を上手に言うことができなかったのです。

数年経ち、少し仕事に慣れた頃、改めて「ものづくりの営業をしたい！」という気持ちが大きくなりました。

一緒に仕事をしている方々に部門異動を相談してみたところ、引っ張ってくれる人が出てきました。ラッキーなのですが、本来やりたかった「お客様担当」ではなく、「インサイドセールス」でした。しかし、せっかくのチャンスをいただいたので、周りの人よりも「お客様に役立つ」ように仕事をすることを意識して、連日頑張りました。

そして、飲みや、デートにも行かずに日々、仕事のことだけを考えている毎日を過ごしました。

不眠症になる

このように頑張ってきた甲斐があり、数年後に一番の花形である「お客様担当営業」に引っ張ってもらうことになりました。最もやりたかった仕事に就くことができたのもつかの間、今まで以上の仕事量と、さらにわからないことだらけの上に、会社の代表としてお客様と接しながら売上をあげていく責任を背負い、私の生活はさらに仕事一色に染まっていきました。

朝、始発で出社して、終電で帰る。土、日曜日もほぼ、会社か家で仕事。

当時は、季節が移り変わったのも気づかないくらいでした。しかし、相変わらず仕事はうまくできないし、先輩からは人格否定まがいの叱責を受けるなど、本当に辛く、悔しい日々でした。「他人に迷惑をかけない」ように、「できない自分がバレない」ように、自分でできることはなんでもやろうと日々、格闘していました。

好きだった人にも振られ、不眠症にもなり、昼間は元気に明るく振る舞うけれど、夜になって家に帰るとぐったり……。時々襲ってくる気持ちの落ち込みを、当時のベストセラーだった『マーフィーの法則』を読んだり、NLP（神経言語プログラミング）を学んだり、スポーツメンタルトレーナーの勉強をしたりすることで気持ちを持ち上げて、自分自身を復活させようとしていました。

コンサルタントの力もつけたいと思い、転職活動をしても、どこにも受かりませんでした。

その時に社会人MBA（経営学修士）を卒業して早期退職した大先輩の話を聞き、ここで学べば違う未来を描けるのではと思い、社会人MBAに入学を決めました。

■勉強が苦手であったことに改めて気づく

しかし、社会人MBAに入って間もなくして、もともと勉強が好きでないことに、改めて気づきました。それでも、入学したからには必ず卒業すると決めて、仕事の合間や土、日曜日を使って勉強に取り組みました。

元来苦手な財務や会計、初めて学ぶ統計学は、今でもちんぷんかんぷんなのですが、同期に資料をつくってもらったり、勉強会を開いてもらったりして、なんとか卒業することができました。同期は、キャリアアップや転職を繰り返し、MBAの価値を最大限に活かしていましたが、私は最短で2年で卒業というところを4年もかかった上、平社員のままでした。

得られたものは、「仕事のやり方も違う」、「価値観も違う」、「働いてきた環境も違う」人たちとディスカッションしながら、ひとつの成果物をつくり上げる大変さと重要性、そして一生お付き合いできる仲間でした。今も毎月のように食事をするメンバーは、MBAの期を超えて、仲よくなった友達たちです。利害関係がなく、しかもお互いを高めあえる素晴らしい財産になりました。

自負ではありますが、このMBAに通っていた生徒の中で、私が一番多くの人脈をつくれたと思います。実はこのことが、その後の私の人生に大きなメリットをもたらしていたことが後からわかりましたが、当時は実感がありませんでした。

■他人に頼るとビジネスがうまくいくことに気づく

社会人MBAを卒業して、しばらくすると結婚したいと思う人が出てきました。

スピリチュアルの人に相談に行くうちに、口内炎やものもらいができるなど、体調がすぐれなくなるだけでなく、イライラして怒りっぽくなってしまい、どうしようもなくなっていきました。悪女に魔法をかけられてしまったようで、自分ではどうにもできなくなり、いろいろな人に助けを求めたけれど、改善されないこと3ヶ月。

そのときに、人格者のヒーラーに出会い、イライラをとっていただくとともに、生きやすくなるための学びを数年間に渡って、教えてもらいました。そして、知らない間に意識が少しずつ変わっていきました。「仕事を休むと会社をクビになるのではないか」という脅迫観念が消えていきました。自分でなんでもやらないと評価されないという思い込みがなくなって、「評価されなければ、されなくていい」と思えるようになっていったのです。

他人が自分の代わりにやってくれたことを、素直に感謝できるようになっていました。それどころか、積極的に他人に助けてもらうように言動をするスタイルに自然と変わっていきました。

また、「できない自分」にもOKを出せるようになりました。毎日、心も穏やかに仕事ができるようになっていったのです。

■幸せな今

ここ数年は、コロナ禍でも、週に2～3回は友人とレストランでの飲み会を楽しんでいます。

ちなみに、緊急事態宣言中のある1週間の夜は、このような感じでした。

月曜は、1ヶ月前から通い始めた「鍼灸」。火曜は、この2年くらい、毎月友人6～7人で行っているミシュランの「お寿司屋さん」。水曜は友人と近所の「イタリアン」。木曜は六本木の会員制の「フレンチ＋イタリアン」のお店で、なかなか手に入りにくい山崎ウイスキーを飲む会。金曜は近所で旧同僚との「飲み会」。

年に2回、2週間連続で休暇をとり、海外旅行を楽しんでいます。その間はメールしか見れません。しかし、スキルの高い同僚や派遣の方々、上司やビジネスパートナーさんが頑張ってくれて、仕事が進捗しているだけでなく、クオリティの高い提案がお客様にできるようになりました。

このように、仕事だけではなく、人生が好転するようになっていったのです。

以上、私の生い立ちを通して、「できなかった」自分が「できる」ようになった、そのプロセスを、イントロダクションとしてお話ししてみました。

それでは、次章からは私の人生を大きく変えた、才能がない私でもできた、むしろ才能がないからこそできた営業の仕事術を、紹介していきます。

第1章

平均年収1800万円稼いだ営業が大切にしていること

1-1

「何をしたら、お客様が一番ハッピーになるのか」の仮説を立てる

営業のミッションはなんですか？　と聞かれたら、あなたはなんと答えますか？
売上をあげること、契約を取ること、ノルマを達成することと答える人が多いかと思います。
しかし、その答えは本当に正しいのでしょうか？　会社が存続できているのは誰のおかげでしょうか？　会社の売上があがっているのは誰のおかげでしょうか？　あなたや同僚の方が給与をいただけているのは誰のおかげでしょうか？

答えはお客様です。お客様がお金を支払ってくれています。

私は、営業とはお客様を幸せにする仕事だと心の底から思っています。世の中には数えきれないくらいの製品やサービスがあります。同じ製品ひとつとっても、ちょっとした機能の違い、

クオリティだけでなく、価格も異なります。

また、その存在をお客様に知られてすらいない製品やサービスも、無数にあります。

BtoBかつ、購入単価が高い製品を扱う世界だと、営業がお客様に「こんなよい製品がありますよ！」、「御社の抱えている課題には、こんなソリューションをご採用いただきますとよくなりますよ！」と伝えることがとても大切になります。

そのために、営業はお客様はどんな課題や悩みを持っているのか、顕在化しているものだけでなく、潜在的なことも含めて考えるのです。

例えば、「製造業のお客様であれば、○○のような課題を持っているのでは？」など、いろいろな情報を集めて仮説を立てます。自分が取り扱う製品やサービスをよく勉強した上で、お客様のことを調べたり、お客様と会話をして情報を入手して、「こんなものをお届けしたら一番ハッピーになるのではないか」と仮説を立てるのです。

つまり、お客様の幸せを常に考えることが大切になるわけです。

誰しも、彼氏や彼女などの好きな人や、子どもや両親などの肉親、仲のよい友達については、常にその人に喜んでもらったり、幸せになってもらうには自分はどうしたらいいのかを考えていることと思います。それと同じようにお客様のことを好きになり、どうしたらお客様の会社のビジネスに貢献できるかということを考える。対面する担当者が評価されたり、仕事がラクになったり、楽しくなったりするかを真剣に考える。その際に「ビジネスのｗｉｎ」と「パーソナルのｗｉｎ」の両方を考えることが大切です。

お客様に提案したらきっと役に立てるのではないかということを常に考えて想像する＝仮説を立てる。そして、実際にお客様に提案をする。仮に仮説が間違えていても自分のことを真剣に考えてくれる営業には、お客様は喜んで、「いえいえ、こういうことに悩んでいます」とか、「こういう角度で提案をしてほしい」と教えてくれます。

プラスになる今後の展開が拓けていくのです。

しかし、お客様のことを考えず、とにかく自分の製品の紹介だけをするプロダクトアウト営業が残念ながら世の中には多いのです。これはただの商品紹介であり、ソリューション営業ではありません。漫画『サザエさん』に出てくる三河屋さんと同じ、御用聞き営業です。

私は、お客様へベストな提案をするために、社内に難題をふりかける営業として、迷惑がら

お客様がハッピーになるための仮説を立てる

「○○のような課題を持っているのでは？」など、
いろいろな情報を集めて、提供できるものを考える

れていました。
困難がない営業活動・提案活動は実りも低いですし、大量な時間をかけたのに成約に結びつかないこともあります。ですから、提案活動においては、会社のいいなりで買ってくれるお客様だけを相手にしている営業は、ソリューション型営業ではないということです。

まとめ

お客様がどうしたら、ハッピーになれるか、考え抜いた仮説を立てる。その上で、アクションを起こし、高速PDCAを回していく

1-2 社内の人間やビジネスパートナーを仲間として大切にする

大きな提案になればなるほど、お客様だけでなく、社内やビジネスパートナーなど、関わる人がどんどん増えてきます。案件によって時には、国内だけではなく、外資の場合はＨＱ（本社）や海外拠点のメンバーの協力も必要となります。

会社には多くの魅力的な案件がたくさんあるなか、私の案件のために社内スタッフ、外部の方が力を貸してくれるのは本当にありがたいと常に思い、感謝しています。

お客様に最高の提案を行い、コンペに勝って採用してもらうには、チームの団結力がとても重要になります。営業だけでなく社内スタッフなどすべての人は、複数の仕事を抱えながら時間に追われています。常に同じメンバーで提案活動ができるわけではないので、案件ごとに組まれたメンバーが短期間で、チームワークを構築する必要があります。気心やお互いの性格や仕事の進め方や考え方がよくわからない人たちに気持ちよく楽しく働いてもらうことが、とても重要です。このことがチームの一体感、雰囲気に影響してきます。

例えば、Aさんはお願いしたことをちゃんとやってくれないとか、Bさんは口ばっかりでダメだなーなどと心で思っていると、そういう気持ちが言動に出てしまい、相手にも伝わってしまいます。そのようなチームワークでは、お客様によい提案はできません。

つまり、**仲間や身近にかかわる仕事のメンバーを最初から色眼鏡で見ることをせずに、信じる**。

仮にAさんがダメだなーと思うときはチームで補うようにする。もし、それでも難しい場合は、担当を代わっていただいたり、他のメンバーを追加したりしていく。

このような思いやりが最高のチームをつくり、最高の提案につながっていきます。

昔、このような先輩がいました。

お客様から案件をとってくるのは得意なのですが、無理な条件で仕事をとってきてしまう。しかも、事前に社内やビジネスパートナーの人に相談もしない。かつ、その先輩は「24時間働けますか！」というようなタフな方で、土、日曜日でも夜中でも連絡してきて、私たちに短い期日で業務を行うように指示を出してきました。週末に電話が来て、仕方なく休日に会社に

仲間やビジネスパートナーを大切にする

仕事をお願いする前に事前に相談するなど、
コミュニケーションはとても重要

行ってその先輩と打ち合わせをし、対応したこともありました。

仕事をとってくるという意味では営業マンとしては優秀なのですが、周りのスタッフからは一緒に仕事をしたくないという人でした。ですので、社内やビジネスパートナーから煙たがられる存在になっていきました。また、ビジネスパートナーに対して高圧的な対応をする方でした。

若い頃にそうした反面教師を見ていたため、自分ではそういうことをやってはいけないと常に心に決めていました。その結果、10年に一度ぐらいしかビジネスを一緒にしていないのに飲みに誘ってくれたり、転職祝いをしてくださるビジネスパートナーがいるのは、この教訓が活かされているおかげかと思います。

社内やビジネスパートナーに仕事をお願いする際も、もし無茶振りしそうなときは、事前に相談した上で進めるようにしています。仕事上、アドバイスをしたつもりが、つい相手に厳しいことを言ったようにとられてしまった場合は、すかさずフォローをするようにしています。

まとめ

人を大切にできない営業は、お客様に最高のハッピーを届けることができない

1-3
雑談を武器に、切込隊長を買って出る

私は、小学生3年生から高校3年まで剣道をしていました。剣道のチーム戦は5人／1チームで行います。一番最初に戦う人を「先鋒」といいます。先鋒の役割は、場の空気を温めるとともに、チームメンバーが有利になるように流れをつくることです。

つまり、自分達の土俵に相手を引きずり込むことが必要なのです。このことは、ビジネスでもすごく重要であり、その役目をするのが「切込隊長」である営業だと私は思います。

入社したばかりの頃の私は、「お客様とのお打ち合わせの際に、ビジネスの本題の前にどんな雑談（アイスブレイク）をしたらよいか」を、常に行きの電車の中や道すがら考えていました。

なぜかというと、雑談をして場の空気を和やかにして会話を始めるのとそうでないのとでは、雑談があるほうが、商談がよい流れになるからです。アイスブレイクトークは本当に重要です。

商談中、途中でお客様にとって受け入れ難い内容やご意向にあわない提案があっても、雑談があると険悪な空気が流れる可能性が低くなり、お客様が優しく訂正してくれたり、再度チャンスをいただけたりするのです。雑談を通して、杓子定規なビジネスの会話で終えることなく、お互いの人間性を垣間見た上でのつながりが生まれてきます。

初めてお会いするお客様に対しても、自然な形で雑談をするようにします。もちろん、差し障りのないお天気の話をするときもありますが、お客様のオフィスに行く途中にあったお店の話や、オフィスの1階に展示してあった絵画やエレベーターから見えた景色など、お客様と共通に会話できる話題を探し、打ち合わせが始まるほんの少しの時間に雑談をします。

このように仕事以外の話をすることにより、人間関係が少し縮まり、場があたたまります。

切込隊長という観点では、例えば、A社は弊社と長いお付き合いのお客様で、システム部門と懇意にしていただいていました。しかし、他の部門とはまったくリレーションがない状況でした。あるとき、新しいソリューションの提案をしたいと思ったのですが、提案が合致するであろうお客様の部門について、過去の営業含めて弊社ではコネクションがなかったことがわかりました。そのため、懇意にしていただけているシステム部門に提案したい内容を伝えて、紹介していただくようにお願いしたり、代表電話から社長や担当部門の役員宛に電話をして、直接アポをとったりしていました。

「会社としてシステム部門と取引があるのにわざわざ代表電話にかけてくるなんて、何事?」と、後からシステム部門長にお小言をもらいましたが、強引に道を拓いたおかげで、新しいソリューションに合致する部門の方をご紹介いただくことができました。

そして、その方にどういう内容でお時間をいただきたいのかを事前に説明し、アポを取りました。やっと提案できる状況になると、そのソリューションのスペシャリストを連れて提案に行きました。ご説明の1週間後に前向きにご検討いただけることになり、数ヶ月後には億単位のビジネスをいただけるだけでなく、私が担当から外れた後もご契約を継続してくださることになったのです。

まとめ

切込隊長はビジネスを円滑に進めるために、雑談こそ気を遣う

1－4 人が嫌がることこそ、率先して行う

仕事は楽しいことより大変なことのほうが多いのが世の常です。労働の対価としてお金をいただいているので、仕方がないかもしれません。特に営業職は案件を取るために、面倒なお客様の要望にも取り組まないといけない場合もあります。

ところが、この要望に対して、実行することが嫌なのか、なかったことにして、要望があったことでさえ消滅させてしまう人がいます。しかし、お客様や周りの人はしっかりと見ているものです。

そのようなことをしていたら、いざ自分が困ったときに誰も助けてくれない上に、親身にもなってくれません。さらにそんな人とは一緒に仕事をしたくないので、その人が営業担当の間は発注しないということも実際、過去にはありました。

しかし、逆に「面倒だけどお願い」と言われて、嫌な顔せずにすぐに対応してくれたら、今までマイナス評価だったとしても一気に挽回できます。

嫌なとき、苦しいときはチャンス到来と思い、真摯に対応することが一番です。

Ｂ社でこんなことがありました。

役職者かつ年配の方のＡさんは、いつも打ち合わせのとき、うたた寝をしていて話を聞いていません。できれば、Ａさんを無視したいのですが、なぜか、毎回、打ち合わせに出てくるだけでなく、突然目を覚まして、的外れなタイミングで、過去の打ち合わせで既に合意した内容を覆す発言をしてきます。しかも、過去に合意したことも覚えていないのです。

また、その会社は年功序列が強く残っており、Ａさんが課長という役職のため、誰も面と向かってＡさんに対して、その件が過去に既に決まっている事実を告げたり、Ａさんの意見に反対と言うことができません。

そのため、Ａさんを何とかしてほしいという、お客様側からの相談が来ました。最初の対策として、打ち合わせが終わるごとに参加者全員に議事録を送付し、内容に誤りがある場合は、全員にメールするようにしました。もちろん、議事録は営業である私が書きました。

これでAさんも大人しくしてくれると思ったのですが、その後も相変わらずの対応でした。そのため、お客様から私に「Aさんがまた、すでに決まっていることひっくり返そうとしたり、とんちんかんなことを言ってきたら、『その考えはおかしい』と打ち合わせの場で言ってください」と、頼んできたのです。本来、お客様側の意思疎通は、お客様内部で行なっていただく必要があるのに。

嫌われる可能性がある役割ですが、味方になってくださるお客様のために、それ以降Aさんがおかしな発言をした場合は、大勢のいる打ち合わせの場で、はっきり否定するようにしました。そのおかげで、お客様からは感謝いただけましたし、打ち合わせの進捗も早まりました。

もし、嫌な役をやって欲しいと言われたのに逃げてやっていなかったら、このように好転することが起こりませんでした。この経験により、この件に限らず、他のトラブルにおいても臆することなく、ピンチをチャンスに変えていくことができるようになりました。

まとめ

嫌なとき、苦しいときこそ、チャンス到来と思い、真摯に丁寧に対応する

1-5 雑用も重要な仕事

仕事をしていると「何でこんなことを私がやるの？」、「もっとクオリティが高い仕事したいのに！」と思うことは多々あるかもしれません。

だけど、そのような仕事をおろそかにしないことが、本当に大切なのです。

例えば、提案資料の印刷は誰でもできる仕事です。

しかし、コピーの途中でトナー交換をしたり、紙を補給したり、ステープルがうまくできていなかったので手でホチキス留めをするときに資料が汚れないように配慮したり、資料を持ち運ぶ際に折れないようにクリアファイルにしっかり入れたりと、突然のハプニングを含め、気を遣うことがたくさんあります。

また、提案書作成で夜遅くまでチームで打ち合わせになるときは、みんなが集中&リラックスできるようにお菓子の差し入れをしたり、打ち合わせ後にはお菓子のゴミをきれいに片付けて次に会議室を使う人に配慮したりなどします。これは人として生きていく中でやったほうがいいことなのですが、できない人が結構います。

みんなが気持ちよく快適に仕事ができるように率先して雑用をするのは大切なことです。

そうすれば周りの人から、「気が利くいい営業」と思っていただけて、例えば、担当替えのときによいお客様を担当させてもらえることにつながる場合もあるでしょう。ささいなところに、その人の気遣いがあらわれるものです。

まとめ

雑用をきちんと丁寧に行うことが、稼げる営業になる近道

雑用こそ自分を磨くチャンス

みんなが気持ちよく快適に仕事ができるように、
面倒な仕事も率先してこなしていく

1-6 営業は会社の顔であるため逃げてはいけない

「営業は会社の顔です」と、ずっと言われて仕事をしてきました。トラブルやミスがあっても、最前線で逃げずに、対応にあたっていたのです。

例えば、コンピュータの故障もしくは不具合でお客様の業務が止まってしまっているとします。営業はシステムエンジニアや修理担当でないので、現場に行っても何も直接的にトラブル解決に貢献できません。それでも、一番に駆けつけます。

そして、何が起きているのか、どんな助けがあれば復旧できるのかなどをお客様からヒアリングします。必要に応じて社内やパートナーに、追加のメンバーや予定していなかった応援を要請することができるからです。

また、提案活動、導入活動、運用時など人的ミスが発生した場合でも、ミスした人を責め

会社を背負っている自負を持つ

営業は会社の顔。
トラブルやミスがあっても逃げずに取り組んでいく

ません。**営業は自責として率先してお客様にお詫びし、改善のための社内対応にあたります。**

あるとき、リコールになってもしょうがないような大きなトラブルがありました。しかし、会社からは「リコールではなく、ある一定期間につくられたもののみが交換の対象で、それ以外は問題ない」と、お客様に説明するように言われました。

当然、お客様は納得されず、追加の質問などを受けました。会社に持ち帰り、この問題の専任部門の人に先方へ同行して説明をしていただくなど、真摯に対応をしていきました。調べれば調べるほど、お客様が言っていることが正しいことがわかってきました。しかし、社内ではリコール扱いではないので、対応することはできないという板挟みに……。

専任部門の人に前面に立って対応いただく方法もありましたが、営業という立場から両者にとって100%納得はできないものの、了承いただける落とし所を根気よく見つけて対応したことがありました。

まとめ

会社を背負っているという自責の念を決して忘れない

1-7 お客様に本音で会話をして信頼を築く

お客様の言うことを、そのまま聞くイエスマンになっていませんか。

先方の知識不足や勘違いが原因で、間違えた方向に物事が進むこともあります。

お客様を自分の親や彼氏、彼女、子供のように大切な存在と思っていたら、「いい選択をしてほしい」と考えませんか。よりよい方向に向かってほしいので、言いにくいことや嫌なことも言わないといけない場合もあるかと思います。

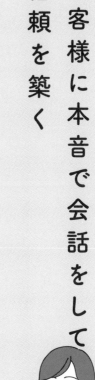

営業は、自社製品のよいところばかり伝えて、よくないことは伝えないケースがよく見られます。**どんなものでも、残念ながら完璧なものはないので欠点があります。その欠点も、私はきちんと伝えてきました。**

「win-win-win」の関係を築くためには、こちらが困ることになる場合も、素直に伝えることが大切です。そのことによって、お客様も真剣に考えてくれるようになります。

例えば、提案の途中で買っていただける意向が強くなってきたところで、私ははっきり「年末が決算なので、年末までに買ってほしい」と伝えます。来年になったら担当替えになってしまうので、せっかく頑張ったのに自分の売上にできなかったら、元も子もありません。

営業のわがまま、ご都合主義と思われるかもしれませんが、「ｗｉｎ‐ｗｉｎ‐ｗｉｎ」の関係になるためにはとても重要なのです。

見ているゴールは同じだとしても、到達したい時期に差が出ることもあるかもしれません。「年末に」とこちらがお願いしたところで、「もともと来年3月末ごろに契約予定で予算を組まれているので、絶対に前倒しはできない」という回答を受けるかもしれません。

こちらがいくらしつこくガツガツと迫ってもお客様とのスピード感と合っていないと、お互いストレスが溜まり、かえってギクシャクしてしまいます。しかし、お客様の時間軸を把握することにより、お客様のペースでこちらも提案できるようになります。

一方、よいお返事をいただき、「年末に買ってもいいよ！」と言っていただけることも多々あります。「だけど、買うには××という関門がある！　だから例えば、値下げしてくれたら社内にメリットが出しやすい」など、お客様が私たちの都合に合わせるための条件を教えてくれることもあります。課題や条件を教えていただければ、その点をお互いクリアしていけます。

また、その過程において、一体感が出てきて、多少急ぎのお願いや無理な相談も聞いていただけたりします。なぜなら、お互いのゴール内容と時期が明確になったからです。

そもそも「買ってください！」と、〝ASK FOR ORDER〟ができない営業がたくさんいるのですが、お願いするのはタダなのですから、臆せず、タイミングをよく見計らって言ってみましょう！

営業は「売る&買っていただく」のが基本的なミッションなのに、言ったら嫌われるのではないかと考えてばかりで、はっきり口に出せない人が多いのです。

言って失敗したっていいじゃないですか。いくらでもチームとして、会社としてリカバリーできるし、お客様は無数にいるのですから。

まとめ

万人に好かれる営業は、仕事ができる営業ではない。物を言う営業が一番信頼される

1-8 常に相手の気持ちを考える

「ロジカルセリング／ロジカルシンキングを実践して、仕事や営業に取り組めば成果は必ず出る」とうたっている本や、コンサルタントによる同様の提案は、確かに営業の王道だと私も思います。法人で稟議を通すにはもちろん、誰から見ても理路整然な内容が必要だからです。

しかし、当たり前の話ですが、投資を検討するのも、稟議書を書くのも、稟議を承認するのも、役員会でOKを出すのも、私たちと同じ人間です。人間は、感情の生きものなのです。

どんなにいい提案でも、例えば無愛想だったり、無礼な人からは買いたくありません。また、担当者と相性が合わないだけでも買わないことも多々あります。**法人同士として長く付き合うということになれば、お互いのフィーリングが大切になってきます。**

会社にとってはwinでも、担当者にとってはよくない提案になる場合もあります。ただ売れればいいのではなく、お客様の会社、担当者、売る側すべてが「win-win-win」の「三方良し」とならなければ、みんなハッピーになれません。

勘違いしてほしくないのは、媚びて迎合するのではなく、また、無理難題をすべて受け入れるのでもなく、「三方良し」になる提案を模索するのが大切だということです。

人間は、機械ではありません。

結果はもちろんのこと、過程における相手への配慮も重要です。

まとめ

相手の立場になって考える習慣をつけることが、できる営業になる近道

1-9 すべての責任は自分にあると考える

どんなにミスをしないようにと注意深く仕事をしていても、ミスをしない人はいません。

また、製品の不具合や、他部署の方の人的ミスなどもあります。そのようなとき、「Ａさんのミスだから、Ａさんが責任とって」とか「Ａさんのせいだよ」と責める人は、営業として失格だと私は思います。

自分がかかわっている案件でトラブルや問題ごとが起きたときは、「営業＝自分の責任」だと思って行動する。

営業は現場の最前線なので、絶対逃げたらいけないのです。逃げたらお客様だけでなく、社内からの信頼も一気に失います。大袈裟かもしれませんが、逃げ癖のついた人は、一生逃げる人生を送ることになります。

社内やお客様に怒られたり、どなられたりするのは本当につらいことです。しかし、極論になりますが、戦場ではないので命をとられることはありません。私は、「チームのみんなを守る！」と決めて、いつも仕事をしています。

それは、大切な仲間だから。

自分のミスでみんなにもお客様にも謝りながら対応するより、他人のミスであれば、冷静に迅速に、少し気楽に対応できます。

どんなことも避けない、逃げない。そんなマインドで対応します。対応するしかないのです。マインドが逃げなければ、どんな難題でも活路が見出されるケースは多々あります。

以前、このようなことがありました。

E社はシステム移行できる日がピンポイントで、かつ短時間でそれを行う必要がありました。失敗したら後戻りできないため、作業にあたるメンバーたちは、念には念を入れて事前のテストや準備をしていました。

深夜の作業になるため、若手の営業が立ち会うとともに、差し入れを買うように依頼し、万が一のときも営業が社内を動かせるようにスタンバイしていました。こんなにしっかり準備していたのにもかかわらず、不運なことに問題が勃発したのです。

起きてしまったのは仕方ないので至急お客様にお詫びをしに行くとともに、どうしたら次回成功させることができるのか、次はどのタイミングで行うことができるのかを、早急に決める必要がありました。

作業メンバーは私の担当外でしたが、案件にかかわる営業として、部門や役職など無視して、追加のメンバーを依頼したり、スペシャルな専門家を巻き込んだりなど、積極的に動きました。お客様の協力もあって、2回目は問題なく完了できました。このプロジェクトは長い期間のもので、ステップ2の作業がありました。その際に、提案時にも大きなミスがあったことが後になり、発覚しました。

私の担当外でしたが、自責と思い、社内で対応できる方法がないか、自部門でサポートできることがないかを検討しました。

その案件にかかわる営業は、すべて他責にせず、自責で考えるメンバーだったたため、直接問題を起こした担当以外も総出で知恵を絞り、解決にあたりました。その甲斐があり、苦し紛れですが対応法が見つかり、お客様へ迷惑はかけたものの、問題を乗り越えることができたのです。

人のミスはフォローする
マインドを持つ

チームの仲間を守る気持ちで、
他人の失敗には冷静に、迅速に対応する

お客様に迷惑をおかけしてしまいましたが、今でもそのお客様との良好な関係を維持しています。

まとめ

スキルアップよりも、マインドが重要

1-10 スピードは、お金を生む

世の中の流れの速度は、どんどん速くなっています。
みんな仕事に追われて日々、忙しい生活をしています。その中で、素早く対応するだけでもお客様にとても喜んでもらえることはあります。
私は、いただいたメールを見たらすぐに返信、もしくはアクション（社内に依頼）する習慣をつけています。そのことにより、相手が処理したり、考えたりする時間を増やすことにも貢献しています。

情報へのレスポンス、情報伝達のスピードはすごく重要です。

よい例ではありませんが、進めている案件の中で、お客様がなかなか公の場で情報を言ってくれないので、朝、お客様が出勤する前に駅で待ち構えたりしていたことも、昔はありました。ただ、情報がほしいがためにです。

聞きたてホヤホヤの情報をいち早く、チームにフィードバックすることによって、メンバーが考える時間を少しでも多くつくることができる。次にミーティングするときには、必要な情報や資料が揃っているので、よりよいディスカッションができ、提案の質を上げることにつなげられます。

一秒でも早くフィードバックすることによる利点は、案件の提案期日が決まっているので、その持ち時間を最大限に活かすことができるという点です。

例えば、打ち合わせは明日かもしれないが、それよりも事前に電話やメールにて重要なことは伝えておく。それだけでも、案件への取り組むスピードが大きく変わってきます。

まとめ

時間を最大限活かすために全力を尽くす

情報へのレスポンス、情報伝達のスピードはすばやく

重要なことはいち早く、メールなどで伝えるようにする

1-11

仕事の流れを止めない

当たり前の話かもしれませんが、仕事はひとりでは完結できません。

例えば、契約書を作成する⇓契約書をお客様にお届けする⇓お客様内部での契約捺印のためのプロセスを行う⇓契約書に捺印をいただく⇓契約書を受領する⇓契約書を社内登録する⇓請求書を発行する⇓入金を確認する⇓未入金については督促を行うなどと、ひとつの案件でもたくさんの実施項目があります。

これらの項目を行うにあたり、多くの方の力が必要となってきます。

急いでいるときは、自分自身がボールを持っている時間をとにかく短くすることが、仕事を最短で回すことにつながっていきます。もし、他の人のところで仕事が止まっていたり、遅かった

りする場合は、相手に嫌がられないレベルで催促し、早くやってもらうようにします。

みなさん、日々忙しく、時間に追われています。約束した期日を忘れてしまうこともあるかもしれません。ですので、他の人に仕事をお願いするときは、依頼する時点で、いつまでにやってほしいのかを明確にすることが大切です。

また、催促する場合でも、とても重要なのが、相手に嫌がられないようにするために、「何時ごろ、できそうですか？（お願いしたことを忘れている可能性あるため）」、「催促して申し訳ありませんが」、「お忙しいところ急かせてしまい申し訳ありませんが」などと、言い方を考えてみるのがおすすめです。

何と言っても、一番重要なのは自分自身が仕事を止めないということです。 自分がボトルネックになっていたのに、他人には急いでほしいという態度は、もってのほかです。私が何十年も習慣として行っていることは、その日にできる仕事は何時になってでも、その日のうちにすべてやり終えることです。

仮にメールの返信が今日中にもできたけど、疲れたからと明日に回してしまい、翌朝、緊急の仕事が入ってしまうことがあります。そうなると、昨日返事ができたものが、緊急対応の後になってしまったり、メールの山に埋もれてしまい、返事をし忘れたりすることもあるかもしれません。このような事態を避けるためにも、その日にできる仕事は、その日のうちに完了するようにしています。

私は、本来、忘れやすい性格だということもあり、インプットされたら、早めにアウトプットしていくということを徹底しました。

また、アウトプットした際、その場に同席していた人が私が忘れていたことについて指摘をしてくれて、より精度の高いアウトプットができたという利点もありました。

これ以外にも、私の中で決めているルールがあります。それは、誰かに聞かないとできない仕事や、ひとりでできない仕事は、その仕事を優先して行うということです。

メンバーと関わる仕事でしたら、そのメンバーがいる時間にその仕事を先に終えるようにする。ひとりでできる仕事は、その後に回す。そのような優先順位で、仕事をしてきました。

まとめ

仕事は水と同じで、流れが止まると濁る

自分で仕事の流れを止めない

時間の流れに乗りながら、スムーズに仕事を回していく

1-12
「考え込まない」、「固まらない」癖をつける

時は金なり。

お金持ちである、頭がいい、仕事ができるなどの属性に関係なく、時間はすべての人間に平等に与えられています。そして、時間はお金でも買えないものですし、過ぎたものを取り戻すこともできません。

無駄に時間を過ごすことほど、もったいないことはありません。

誰でも平等に与えられている時間の使い方によって、お金持ちになったり、そうでなかったりと、運命が大きく変わります。

新人の頃、よく言われることは、「まずは自分で考えなさい、調べなさい。そしてわからなかっ

たら聞きなさい」ということかと思います。しかし、自分で考えたり、調べたりするのに時間をかけ過ぎている人が多かったりします。

経験がある人に聞けば1分で解決することを、『こんなことを聞いたら恥ずかしい」とか「怒られる」とか思ってしまい、数週間も答えがわからず試行錯誤して、その後、どんどん聞きづらくなり、問題を放置したまま固まってしまう人をよく見かけます。

まずは自分で調べる。それでも答えがわからなかったら、他人に助けを求めましょう。

以前、こんなことがありました。

1ヶ月前に私が「○○だと思う」と伝えたのに、同僚がそのことに対して納得がいかなかったのか、根拠や納得するためにリサーチした結果、「やっぱり先日、加藤さんが言っていた通りです」と、何事もなかったかのように言ってきたことがありました。

私は、ネットで数時間、情報を調べたり、過去の長い経験値から答えを導き出したのです。

また、自分が納得できる答えが出るまでは、「Ｄｏ」もしくは「Ａｃｔｉｏｎ」をしない方も多いかと思います。しかし、考えていても行動してみないと何も見えてきません。

私はお客様や同僚やビジネスパートナーや友達から「さすが、早いですね！」とよく言われます。

それは、考える前に行動しているからです。**行動するから失敗も成功も結果が早く見えるし、その上で次のアクションが見つかり、トライできるからです。**

まったく考えないわけではなく、考え過ぎて時間だけが流れて後手に回るのでもなく、動きながら考えているのです。そのため、ゴールに向けての軌道修正が早く、固まることなく、流動的に仕事を進めることができるのです。

余談になりますが、私は旅行が大好きです。いつか行ってみたいと思ったところにはすぐに行きます。コロナ以降、海外旅行に行くのが難しくなりましたが、ワクチン接種と帰国時のPCR検査をすれば旅行に行けるとわかって、飛行機もまだ本数が少なかったのですが、すぐにグアムのホテルと、貯まったマイルでビジネスのチケットを予約し、海外に行きました。

PCRが大変だからと固まっているのではなく、どうしたらPCRをクリアできるのかを調べて、よくわからなかったので大使館に電話をしたりしました。

コロナに罹ったらどうしようと考え込んで、あきらめてしまう人が多いかもしれません。しかし、少し考えて、よく調べたり、最近海外に行った方に話を聞いたりして、冷静に行動したら、

考える前に、まず行動

行動するから失敗も成功も結果が早く見えて、
次にやるべきことも見つかる

いつも通りに外国旅行を楽しむことができました。

これは、ビジネスにおいても、同じことが言えるのではないでしょうか。考え込まずに、行動を意識する。また、行動することによって、新たな道が拓けることもある。これだけでも他の人を出し抜けます。

まとめ

考え込むことより、行動を意識して、流れを止めない

第 2 章

稼げる
営業マインド

2－1 自分を信じる、仲間を信じる

「自己肯定感」という言葉を知っていますか。

日本人は常に自分を否定していたり、自分はダメなのではないかと思っていたりする人が多いと言われています。周りからはそのようなことを一切思われていないどころか、素晴らしいと思われている人でさえ、自己肯定感が低い方がいます。

特に女性は自己否定を口に出してみたり、態度に出してみたりする人が、男性より多いです。自分で自分を信じてあげることができなくて、誰が自分を信じてくれるの？ と私は思います。

お客様に価値ある製品やソリューションをきちんと届けているだろうか？ お客様やチームに役立っているのだろうか？ という不安は、私にも過去にもちろんありました。しかし、「自分はできる、自分はお客様に素晴らしい製品・サービスをお届けしている」と信じることにより、

自分でできないことは
仲間に頼る

つねに人を信じて仕事を任せる空気を
つくるようにしておく

よりよい提案ができましたし、お客様とのコミュニケーションもよくなりました。不安や自信のなさは、他人は敏感に感じるので、意図せずに伝わってしまうのです。お客様はあなたが思っているより鋭く察知します。

自己肯定感を上げることも大切ですが、もっと重要なのは仲間を信じることです。

どのような仕事もひとりではできません。いろんな能力をもった人やさまざまな役割の人と協力しながら、仕事をしています。

手間がかかったり、調べないと資料がつくれなかったりと、大変な仕事を短時間で完成しないといけないことも多々あります。

時間がないなかに、お願いするのは心苦しいこともよくあります。そのときに、この人なら絶対にやり抜いてくれると心の底から思い、信じてお願いすると、細かく進捗をチェックしなくても、期日通りにとてもいいアプトプットをしてくれます。

まとめ

自分でできないことは、仲間に頼る

2-2
些細なことは気にしない

仕事をしていれば、日々いろいろなことが起こります。
営業においては、ちょっとした一言で、お客様の反応や商談の流れが変わることもあります。
しかし、そのことを気にして、落ち込んだり、イライラしたりでは、平常心で仕事ができなくなります。
常にひとつの仕事にかかりっきりというわけではなく、同時に複数の仕事をしているのですから、その他の仕事にも悪影響を与えかねません。

正直、失敗をまったく気にしないというのは難しいですが、くよくよしていてもなにかが好転するわけではありません。

失敗を全力でリカバリーするとともに、同じ失敗を二度と繰り返さないように努力することが大切です。

まとめ

ちょっとしたことで心と行動を止めない

ちょっとしたことにくよくよしない

くよくよして何かが好転するわけではない。
リカバリー＆リトライの気持ちを

2-3 ピンチはチャンス

トラブルや、案件活動で首の皮1枚がやっとつながっているようなピンチは、営業していれば数年に1回はやってきます。

例えば、お客様のシステムが24時間以上止まってしまい、お客様のビジネスを1日止めてしまったという、大きなトラブルが起きたことがことがありました。

お客様も私たちも徹夜で対応したりして、時にはギスギスしたりします。**しかし、一緒に苦労を乗り越えると、今まで以上に絆が深まります。**

トラブルに限らず、案件活動においてもしかり。

お客様が新しいマシンを入れ替えるときに、ほとんど「他社に決めます」と言われたのも同然の場面に出くわしたことがありました。その状態で、案件を獲得するための勝つ方法は？

勝てる道はどこにあるのか？　この案件に関わるメンバーとすごく考え抜きました。

「これでしたらどうですか？」、「では、これだったらどうです？」と何度もお客様のところに行きました。お客様もここまで真剣に考えると、私たちに前向きな意見を言ってくるようになりました。

首の皮1枚だった提案活動が、首の皮1枚ではなく、少しずつ厚くなっていく。

そして、この案件を獲得することができました。

まとめ

ピンチは、一体感を強くするチャンス

2-4

「環境適応能力」も重要

私は社会人になってから、ずっと営業職をしています。証券の個人向け飛び込み営業、ファイナンス営業、インサイドセールス、お客様担当営業、製品担当営業、北海道・東北担当営業、北陸・北信越担当営業、製造業担当営業、流通業担当営業、メディア業担当営業、公的機関担当営業、運輸業担当営業、サーバー営業、汎用機営業、ソフトウエア営業と、いろいろな立場での営業をしてきました。

そのため、お客様の文化や商習慣も違い、お会いするお客様もさまざまでした。社内の関係者やビジネスパートナーの方も、変わってきます。

みなさん、それぞれ仕事の進め方が違います。もちろん、私も進め方が他の方と違うところがあるかと思います。

自分が新しい環境に入ったときに、過去の自分のやり方を押し通そうとすると必ず失敗します。

ですから、まず、私は新しい環境に馴れることを優先します。そうすると、仲間も早くできますし、お客様とも仲よくなれます。

その後に自分の主張ややり方を出していくと、知らない間に自分の世界に周りの人を巻き込むことができます。

今までのやり方を正しいと思わず、今の環境に合わせる方法を最優先することが大切です。

過去に自分が何をやってきたのかは、本当に関係ありません。新しい環境では、新しい体験を積むチャンスになります。あまり過去の自分の殻に閉じこもってばかりいると、ダメです。

ちなみに私は、昔の上司に「お前はアフリカの僻地に行っても生きていけるよ！」と最高のお言葉をいただいたことがあります。

まとめ

郷に入れば郷に従う

2-5

万人に好かれる人はいない

私たち日本人は子供の頃、親や先生から「みんなと仲よくしましょう」と言われて、育ってきました。つまり、「誰からも嫌われないようにしよう」と無意識に自分を殺している部分があるのだと思います。ですが、それは自分の人生を生きていることになるのでしょうか？　私は自分の意見をはっきり言うタイプなので、嫌われることがよくあります。私を嫌いな人は結構いると思います。

私は人を色眼鏡で見ることなく、最初は誰とでも仲よくしようと全力で積極的に話しかけますし、飲み会などに出席したときも声をかけたりします。仕事においても、チームで仲よくやろうとします。

でも、一生懸命やらなかったり、やるといったことをやってこなかったり、提案の直前で掻き回すことを言ったり、いつも他人のせいにしてばかりいたり、お願いしたことをきちんとやらなかったり、協力的でなかったり、自分のメリットしか考えなかったりする人は本当に嫌いです。しかし、仕事だと人を選べないこともあります。多少の我慢は必要ですが、そのような人に好かれる必要はないと思っています。仕事さえしっかりしてくれればそれでいいと。**八方美人は、百害あって一利なしと個人的には思っています。**

私がずっとお世話になっている、ある製品のSEのA部長に「このファンドは何かトラブルがあったときに使いたいから、お願いだから私に無断で使わないでください」と伝えたことがありました。

そのプロジェクトは数十億円クラスの大規模、かつ数年に渡っていたのですが、残念なことに問題が起きてしまいました。リカバリーの費用が必要になったため残しておいたファンドを使おうと思い、Aさんに連絡したところ、何事もなかったかのように「使っちゃったけど、いまさら何を言っているの？」というメールが帰ってきました。

メールで喧々諤々やった後、すぐに偶然、会議で隣り合わせになり、睨まれました。私も、睨み返しました。

それから、私は、その部門のSEさんに仕事をお願いするのを一切やめました。

理由はA部長を通してSEさんのアサインをお願いしないといけないからです。そこを埋めるため、別部門のSEさんに仕事をお願いしたことにより、今までよりクオリティが高く、スピード感も出るようになりました。

これは極端な例ですが、好かれようとして、嫌いな人や喧嘩した人にペコペコして仕事をお願いしなくても、道は拓けます。

ちなみに私は、プライベートで嫌いな人がひとりでもいたら、たとえ楽しそうなイベントや飲み会があっても絶対行きません。

まとめ

八方美人は百害あって一利なし

合わない人とは仕事をしない

八方美人は百害あって一利なし。
無理に誰とも仲よくする必要はなし

2-6

ちょっとした気遣い

エレベーターの「開く」ボタンを真っ先に押してみんなが心地よく降りられるようにする、重い鉄扉を次の人のために少しの間開けておいてあげるなど、大したことではないけど、ちょっとした気遣いをされると、うれしくなることはありませんか。

仕事においてもそのようなちょっとした気遣いをするだけで、周りの人からの対応が変わってくることもあります。「情けは人のためならず」ということわざのように、周りの人に情けをほどこしておくと、回りまわって自分に帰ってくるものです。

例えば、簡単かつ毎日できることとしては、会議室を出るときに椅子や備品を整えて、最後に電気を消して部屋を出る、といったことが挙げられます。

夜遅くまで働いている人がいたら、手持ちのお煎餅などを差し上げたり、帰るときに声をかけたりすることなども、それにあたります。

打ち合わせの際、あまり発言しない人がいたとしたら、絶妙のタイミングで「○○さん、どう思いますか？」と、話をする機会を提供するように促します。

細かなことですが、ちょっとした気遣いができるか否かは、チームで仕事をしていく上でも、案件で交渉する際においても、重要になってきます。

そのような気遣いを周りの人が見ていることは、多々あります。**わざわざ指摘されることはありませんが、見ている人はきちんと評価してくれています。**

ちょっとした気遣いをたくさんできるような人は、信頼を得ていきます。

まとめ

自分がしてもらって居心地がよいことを、相手にする

2-7

「真似っこ」を極める

赤ちゃんが歩けるようになる、言葉が話せるようになる。それは、両親や兄妹が行っていることを観察し、何度も何度も真似を繰り返していくからです。お兄ちゃんやお姉ちゃんがいたり、小さいときから保育園に行っていると、周りの人からの影響で他の同年代の子供より言葉を早く話せるようになったり、大人びた発言をしたりするようになります。つまり、周囲の言動を完コピして上達していく、「真似っこ」の極みです。しかし、私たちは「真似っこ」という言葉を使わずに、「成長している」という言葉を使います。

一方、「真似っこ」という言葉はマイナスのイメージで使われることもあります。「お父さんがいつも靴下を丸めて脱ぐから子供が真似しちゃうのよ！」とか、弟がお姉ちゃんのやることなすこと、なんでも真似してくるとお姉ちゃんは「もー、真似っこしないで！」と言ったりします。

また、「真似っこ」ばかりしていると、自分の個性がなくなるのでよくないということも言われます。

しかし、私は「真似っこ」は、大賛成です。

「守破離」という言葉を聞いたことがありませんか。まず、「守」は、徹底的に師匠の教えを忠実に守り、確実に身につける、つまり、完コピ＝「真似っこ」をする。「守」ができるようになったら、師匠以外の人のよいところを取り入れて改善改良を加えていく「破」になります。そして、いろんな人のよいところを取り入れる「真似っこ」ができるようになったら、「離」で自分流を出していく。

武道だけではなく、スポーツや英語などの言語学習もすべて、無意識に「守破離」の「守」を誰しも、徹底的に行なっています。

例えば、ゴルフをはじめるときは、ゴルフレッスンでプロの正しい振り方やフォームを習い、打ちっぱなしで徹底的に復習し、ゴルフ場で習ったことを実践するという一連の行為を数えきれないくらい繰り返し、少しずつ「守」がクリアできるようになっていきます。一生、「守」だけをやっていても、結構いいスコアが出せるようになるでしょう。

「離」のレベルとなると、タイガー・ウッズレベルの、その世界でも超一流と言われる選手の話になります。スポーツなどでは「守」を徹底的にやるのに、ビジネスになると多くの方がこの考え方を忘れてしまいます。

学生から社会人になったばかりで、ビジネスをした経験もないのに、先輩や上司の言うことを聞かない、真似もしないでいきなり「俺流」をやろうとする人が多くいます。どんなにしょぼく見える先輩でも経験を多く積んでいますし、新人のあなたより仕事ができるのです。

一方、教える側も基本的なビジネスマナーや製品を学ぶ教育は行うものの、その後はＯＪＴ(On the Job Training＝先輩社員が後輩に対し、業務に必要なことを実践しながら伝承する教育法)となり、「先輩や上司のやっていることは、自分で盗みとれ」というのが普通になってしまうので、きちんと営業として一人前に育てることができている会社は非常に少ないのです。

一人前に育てるのは子育てと同じくらい労力がかかるので、日々忙しく働いている第一線のビジネスマンは、新人や後輩に時間をかけられない現実があります。だからこそ、きちんと学ぶだけで、大きな成果の差が出るのです。

その点で、真似をすること＝最高で誰でもできる成功への近道なのです。

上手くいっている人を徹底的に真似る

真似することは、誰でもできる成功への近道。
恥じることなく堂々と真似しよう

20代後半の頃、同じチームに10歳程度年上の男性営業の方がいました。

この方の仕事の進め方や社内への配慮が素晴らしいなと、いつも見ていました。幸い、その先輩と2人でチームになったため、案件を進めるために一緒にお客様を訪問したり、社内会議にも参加してもらったり、多くのアドバイスをいただきながら、時には怒られつつも成長させてもらえました。

あるとき、その先輩の話し方や間の取り方、ビジネスに対する姿勢などを真似しようと思いつき、とにかくなんでも「真似っこ」をしました。手の組み方、間合い、食べるものまでです。

特に「真似っこ」したのは、お客様だけでなく自分とかかわる多くの人が自分の行動についてどう思うのかを、先回りして考えるようにすることです。すごく勉強になりました。

相手のためを思って、同じことを伝えるのにどうしたらいいかなど、私の案件なのにその先輩が深夜まで自宅でひとりで考えてくれたこともあります。

私の配慮が足りず、先輩に怒られて、その後数日、口を聞いてくれなかったこともありました。そのようなことも、今となってはよい経験となっていますし、自分の血となり肉となっています。そこまで徹底的に「真似っこ」をしていると、その先輩のよいところが、自分でも知らないうちに自然と身についていました。

そのおかげで、今まで以上にお客様や社内外の一緒に仕事をする人と円滑な関係をつくることができただけではなく、ビジネスの成果も出しやすい状況になっていました。

まとめ

うまくいっている人、成功している人を徹底的に真似るだけで成果を出すことができる

2-8

他人の長所を見つける

私は、よく「この人は何が得意なのだろう？　どのような仕事をしているのだろう？」という目で人を見ています。

なぜか？　私には、専門性などの特殊能力がありません。よって、常に誰かに助けてもらわないと、ひとつのことを達成することができません。

常に誰かの手を借りないと、何もできないのです。

そのため、「この人は、こういう場面でとても力を発揮してくれる」というところまで考えて、他人のよいところをストックしておきます。

例えば、お客様と商談したとします。先方は、3人。部長、課長、役職なしの3人。

このとき、本当にこの案件を契約に向けて動いてくれるのは誰なのかを、それぞれの言動

他人のよいところをストックする

周りの人のいいところを、
自分でうまく活用できるように心がける

から読み取っていきます。

会社によっては、部長はお飾りで、きちんと機能していないところもあります。そこを見抜けず、部長にばかりアプローチをしても案件は進みません。部長ではなく、実は一番下の人がすごい力を持っているという場合もあります。

人を観察する。社内、社外問わず「この人はどういうことが得意で、どんな支援をしていただけるのか」というところを見ます。仕事を円滑に進めるためには、とても重要なことです。

まとめ

他人の長所を活かして、最高の価値をお客様にお届けする

2-9 最高の陣営をつくる

営業のビジネスプランを3ヶ月に1回、発表するのですが、「入社3年目の若者が仕事が多すぎて新しい案件を探しにいく時間がないので、人員を増やしてほしい」とリクエストしたことがありました。

その会議終了後、彼にどんなことに時間がかかって大変なのかを聞いたところ、SEにも任せられるような、営業自身が行う必要がないことに時間をかけていることがわかりました。

「SEのAさんに＊＊の部分は任せればいいのでは？」とアドバイスしたところ、「SEのAさんはトラブル案件を抱えているし、＊＊のスキルが足りない」、「SEのBさんはのんびりしていて、自分の思うスピード感で仕事してくれない」などの答えが返ってきました。

しかも、「いろいろ案件の進捗を自分でチェックしなければ、嫌だ」など、できない理由ばかり出てくる始末。

トラブルで時間がとれない負傷戦士は前線から外して、あまり優秀でなくても身体的に問題ない人に変えることはできます。「自分の思うスピードで動いてくれない」のは、もしかしたら、いつまでにどんなことを完了してほしいのかをきちんと指示(依頼)ができていないからかもしれないし、戦士(SE)の能力を自分の思うスピード感で動かす努力や工夫をしていないだけなのではないでしょうか。

自分のビジネスがうまくいかないのは他人のせいだと、言い訳して責任逃れしているだけなのだということに気がつくことができていない、可哀想な後輩です。

案件を勝ち取るということは、「戦い」と同じで成果をあげることが第一です。過程ももちろん重要ですが、結果を出せないのであれば、意味がありません。

極論な言い方になりますが、現代の「戦い」はビジネス戦争です。ビジネスにおいては、どんな陣営の長の下であっても、死んだり怪我をしたりはしませんが、本当の戦争の現場でこのようにできない理由ばかり挙げる長のいる陣営に入ったら、命なんていくつあっても足りません。

営業は、毎日案件を勝ち取るために活動しています。例えるなら、戦国時代の最前線の陣営の隊長なのです。

このような意識で日々活動をすれば、どうしたら今の陣営で最高のパフォーマンスを出せるか、自然に考えられるようになるのではないでしょうか。

まとめ

できない理由を言うのではなく、できるための理由を探してベストなパフォーマンスを出そう

2-10

好奇心は旺盛に

私は新しいことに対して、恐れることなく興味津々で近づいていくタイプです。人によっては、警戒する心が強く、新しいことを試すのが苦手だという方もいるかもしれません。

世の中、すごい勢いで進化しています。ＩＴテクノロジーの進歩も、昔はドックイヤーといわれていましたが、今ではそのときよりもスピードが増しています。**いつまでも現状に止まっていては、楽しいことも見逃してしまいますし、ビジネスチャンスもロスしてしまいます。**

人との出会いでも一緒だと思います。

私は、飲み会などに呼ばれたら積極的に参加します。そして、率先していろいろな人に自分から話しかけます。その中の数名のうちから、気が合う人にどんどん近づいて、私のことをわかってもらうとともに、相手のよいところを一生懸命知ろうとします。

そのことが新しい人脈になり、人生をよりよいものにしていきます。

また、最初は気が合っても、だんだん、合わないなと思うようになったり、嫌なところが目についてきたら、離れていけばいいだけです。人生はトライアンドエラー。考えていても何も進まない。しかし、行動したら、初めて見えてくる世界がたくさん待っています。

私は以前、エンジェル投資がしたくて、あるオンライン講座に入りました。

そこで、会費が月5万円の、六本木の会員制のお店を紹介されました。月額は高いけれど、今まで会ったことがない、私が「こうなりたい」と思う人たちがたくさんいたので、何も考えず、入ることを即決しました。もし、会費が払えなくなったり、会員である価値がなかったらすぐにやめればいいと思っていたので、入会したのです。

そして、会費とは別料金ですが、ワイン部やグルメ部にも参加しました。ワイン部では参加されている人たちにやさしくしてもらい、毎月1回の部活にもほぼ休むことなく、出席しています。そこで知り合いになった方の繋がりで、今回の本書を出させていただけることになりました。会員になり、たった1年ちょっとで、このようなすごいことが起きたのです。

実は、2年ぐらい前に一度、自費出版でもいいから本を出そうと動いていたのですが、まったくうまくいかなかったのです。しかし、今回は出版企画書を書いてからたったの3週間程度で、出版社まで決まったのです。

もし、好奇心もなく、新たな世界に飛び込むのを悩んでいたら、今のようなことはきっと起きていなかったでしょう。

また、ワイン部の有志で共同で山梨のワイナリーでぶどうの木のオーナーになったり、超豪華なキャンプに連れて行ってもらったり、1本数百万円もするロマネコンティを飲む会に参加させていただいたりと、平々凡々のサラリーマンでは触れることがなかったハイソな世界を体験できています。

まとめ

好奇心をもって、行動することを恐れないと、いいことばかりやってくる

好奇心を持って いろんなものにトライ

新しい世界に飛び込むことは、新しい人脈をつくり、
新しいチャンスを生み出す

2-11

瞬発力があると、行動が早い

「思ったら、すぐ動く」。このことができない人が、意外と多いように私は思います。

毎日、いろんな新しい情報や仕事がやってきて、忙殺されます。後からじっくり考えて返信しようとすると、私の場合、忘れてしまいます。そのため、瞬発力をとても大切にしています。

私はおいしいものを食べるのが大好きなのですが、食べたら帰り道にすぐ、そのことをフェイスブックに投稿します。また、みんなで飲み会をしようという話になったら、すぐに調整支援ツール「調整さん」を使い、日程調整をし、数日後には日にちを確定し、お店を予約します。

仕事も遊びも瞬発力よく、クイックに行動する。そのようにすると、高速で「PDCA」を回せます。結果として、人よりたくさんの経験ができるのです。**また、行動が早いだけで、他の人から褒められたり、感謝されたりします。**

量をこなせば、質は上がる

時間だけ費やしてアウトプットできなくならないように、まずはひたすら量をこなす

私のように能力がない人は、とにかく量をこなさないとうまくできるようになりません。そのことについては、自分でも理解しています。「1万時間の法則」があるように時間をかけるだけでなく、時間の密度を上げると能力もすごい勢いで成長していきます。

高校にも大学にも会社にも、すべてにおいて能力が高く上を目指したいと思う人が、私の周りには、たくさんいました。そういう人たちに少しでも早く近づけることができるようになるには、高速回転で、量をこなすのが一番です。

そのときには「完璧を求めない」ことも重要になってきます。完璧を求めていたら、時間だけが経過してアウトプットができない状況が続きます。最初のうちは質より、まず量です。

多少間違えていても、悩んで手を止めてしまうようなヒマがあったら、ひたすら前に進めていくことを重要視し、まずは形にする。そして、周りの同僚や上司に見てもらうことで、間違いがあれば修正して、完成に近づけていくのです。

まとめ

能力を上げるには、量をこなしていくのが近道

2-12 不安を放置しない

「お客様に確認をするのを忘れた」、「社内で提案活動をしているときに、技術的に誤りはないか？」、「提案書の内容に誤りがないか？」など、営業の仕事をしていれば、日々不安に思うことがたくさんあるかと思います。

しかし、いろいろな仕事にかかわっているので、不安を放置するわけではないのですが、忘れてそのままになってしまったり、再度確認するのは言いにくいから嫌だと思って、逃げてしまうことも、よくあると思います。

不安が的中せずに何ごともなく終わればいいのですが、ミスがあったりすると、リカバリーするには多くの方のワークロードが発生したり、後ろ向きな仕事に膨大な時間を費やしてしまったりします。

その結果、さらに忙しくなり、疲れて、さらにミスが発生したり、仕事が雑になる。

一瞬でも不安に思うことがあったら、面倒でもすぐに確認する習慣をつけましょう。

電車に乗ってるときや、トイレやお風呂に入っているときなどに、急に思い出したりすることがあるかもしれませんが、家に帰ってからでいいやとか、面倒くさいから明日でいいやと思っていると、後でツケが回ってきます。私はその不安を、不安のまま抱えているのが嫌なのです。

ですから、自分で解決できるものは、その場ですぐにパソコンを開けて、自分で確認して解決する。もし、他人に聞かなければいけない場合があれば、その場でメールを打つ。

少しでも不安に思ったら、すぐに確認するクセをつけましょう。

まとめ

小さな不安でも、すぐに抹消していく習慣をつける

2-13 感謝を表現する

私は営業なので、多くの社内スタッフの方から日常的にサポートをしていただいてます。
例えば、契約関連を行う業務の方、技術の方、海外とやりとりしてくれるスタッフの方など、細かいことを書き出したら書き切れないほど多くの方に支えられています。一緒に提案活動をしていただく営業やSE、ビジネスパートナーもです。
仕事を進めていく上で、自分以外の人に感謝をすることはもちろんのこと、その人たちのモチベーションをアップしていくことも大切になります。
例えば、案件が取れたときに、その方の上司にもCC（同胞）メールを入れて、その方宛てに「Aさんが、こういうことをやってくれたので案件を取ることができました。Aさんのおかげです」といったようなことを書きます。

その際あえて、上司にCCを入れて、彼がやってくれたから助かったということを伝える。他の方からすごいアウトプットが出たとき、または、こちらの期待以上の資料を作成してもらったりしたときなども、必ずその場で「ありがとう」と心を込めて、きちんと伝えます。

普段より無理させてしまった場合や、面倒な仕事をお願いしたら、「ありがとう！　さすがです。イメージ通りの資料です。助かりました」と言うだけで、相手の反応がまったく違います。

しかし、逆もしかり。「仕事だからやって当然でしょ？」、「早くやってよ！」など、心の中で思うだけで気持ちが相手に通じてしまうので、気をつけましょう。

まとめ

きちんとお礼を伝えることが自然にできることが、ビジネスの成功には重要

2-14 色眼鏡で見ない（先入観をもたない）

私は営業なので、人を見るプロだと思っています。

「この人は、役職が高いけど、買ってくれるために稟議をあげたり、社内を動かすことができるのだろうか?」などと、話をしながら相手を無意識に観察しています。

他の人からの評価が高くても、自分の目で判断してダメだと思うこともあります。人によっては、「Aさんが、仕事ができる人って言っているから安心だよ」という言葉を鵜呑みにしてしまったり、「あいつはダメだ」というコメントを真に受けて最初からマイナス評価をしたり、「あの人、気難しいよ」と聞いて構えてしまったら、相手にそのことが伝わり、かえって溝が深くなってしまうことがあります。

このように他人の言葉に振り回されるのは、本当に人生の無駄だと、私は思います。

たくさん人が集まれば、十人十色です。価値観もそれぞれ違います。

他人ではなく、自分の目で見る。誰がなんと言っていても、自分で確認する。

他人が言ったことを、鵜呑みにしない。

真っ白な心で相手に接するほうが、人を見抜く力も上りますし、人脈をつくるのにとても役立つと思います。

まとめ

他人からの情報を簡単に鵜呑みにしない

他人の言葉を鵜呑みにしない

人の価値観は千差万別。他人の見方に委ねるのではなく、自分の目で確認する

2-15

いつも明るく元気

私は頭がよくなく、背が低くて、見栄えもよくないですが、明るくて元気です。どこに行っても、ここだけは褒められます。

「いつも明るく、元気で楽しそうだね！」と、よく言われます。

でも、実際は先輩に怒られたり、ビジネスでトラブルを抱えたり、大変なときもあります。

誰かに怒られたことにいちいち落ち込んで、そのことを目の前の関係ない人たちにグチるつもりはありませんし、そのようなことで、関係ない人を嫌な気持ちにさせたくもありません。

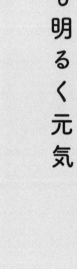

私が来ただけで、「大きな問題の会議でも明るく前向きに対応しようという雰囲気になる」とか、「見ているだけで元気になる」とお客様に言われたこともあります。

ものを買うなら、印象がよくない人や暗い人から買いたいですか？　運気が悪そうな人から

明るく、元気

明るく元気な人間の周りに、
人は集まっていく

買いたいですか？

昔、先輩に「ものを売るより、自分を売れ」と言われたことがありました。「自分を売る」ということは、まず、自分を相手に認識してもらうことになります。

この「明るく、元気」のおかげで、私はお客様と短時間で仲よくなったり、顔と名前を覚えてもらっています。これだけで、今、私が稼げるようになったのだと言っても過言ではありません。

営業という職種を演じるなら、明るく元気なキャラをつくりましょう。

まとめ

「明るく、元気」は、誰にとっても害はない

第3章

稼げる営業のコミュニケーション

3-1

積極的に話しかける

初めての場所や初めての人となると、周りの様子を伺ってうまく話せない人を多く見受けます。

私は、むしろそこで、雑談でもいいから積極的に話しかけます。

例えば、「今日は暑いですね。ここまで来るのに迷いませんでしたか?」など、差し障りのない内容であれば、誰に対しても話ができるのではないでしょうか。

私は初めての場所に訪問する際には、お客様が受付に迎えに来てくださったら、会議室に行くまでに必ずなにか、ちょっとした話をします。

例えば、絵が飾ってあったら「素敵ですね! 有名な方が描かれたものなのですか?」と聞い

積極的に話しかける

コミュニケーションを通して、
お客様に少しでも近づけるようにする

てみたり、訪問した場所が駅から近かったら「雨に濡れずに行けるので、通うのにとても便利ですね！」とコメントしてみたり、「エレベーターを上ったところの景色が素敵ですね」などと褒めてみたりと、どんな小さなことでも話かけるようにします。

そのようにすると、コミュニケーションを通じて、少しお客様に近づくことができます。また、自分から話すことにより、自分の領土を広げられます。

お客様に訪問する＝他人のお家におじゃまする＝awayな環境での活動ですが、話によって、少しでもawayをhomeに近づけることができます。場の空気も和み、仕事の話へすんなり入っていけます。

話をすることによって、お客様の人柄を理解できることは、仕事を進める上で、とても重要になってきます。

まとめ

相手を知るために、自分から話しかける

3-2 雑談を大切にする

人と人が仕事をする限り、人間関係の構築がとても大切なのは、言わずもがなです。

例えば、雑談をすることにより、相手の家族環境や趣味が少しわかり、今後、仕事を進めていくなかで、この話題が広がっていくかもしれません。

「先日お電話したときはお休みだったようですが、体調がよくなかったのでしょうか？」と聞くと、相手から「実は○○というお祭りがあり、毎年欠かさずに参加しているのです」と返事がくることもあるでしょう。

「ワールドカップ、日本に勝ってほしいですね！」と言うと、「実は昔、サッカーが好きで、見に行ったことがある」とか、「子供がサッカーをやっていて」と話がはずむかもしれません。

このような個人情報を少し知っていると、仕事だけの杓子定規な会話ではなく、一気にお互い

の距離が縮まります。

また、接待において、こちらがお願いしたいことや聞きたいことばかりの話だけで終始するのではなく、雑談しながら楽しく同じ釜の飯を食べるだけでも、信頼関係においても大きな効果があります。

まとめ

雑談は、仕事を進めるのに必須アイテム

雑談は仕事の必須アイテム

何気ない会話を通して、
お客様の人隣りを知ることができる

3-3 「御用聞き」にならない

『サザエさん』の三河屋さんは、いつも台所の裏口から「なにか無いものはありませんか？」と聞き、相手にすべてを委ねています。これは営業ではなく御用聞き（ルートセールス）です。

ソリューションの営業においても、お客様に言われたことだけを黙々と行う人が結構います。

案件を進める上で、「お客様の業界であれば、こういうことを行うとよい効果がある」など、新しい提案をするのはもちろんですが、**お客様が最適な選択をしていないなと思ったら、プロとしてアドバイスをすることが本当のソリューション営業です。**

「買ってくれるから、いいや」ではなく、お客様にとって正しい選択か否かについて考えた上で、営業をしていくのです。

三河屋さんではありませんが、「醤油ありませんか」のような聞き方では、醤油しか売れません。選択肢がそれしかなければ、「ほかのものをください」とはなりません。

こちらから、おいしい煮物をつくるには「砂糖、ミリン、お酒を○○という配分で入れるといいですよ」と、お客様のことを考えた上でソリューション（＝解決策）を提案します。

そして、お客様の幸せを第一に考えて、行動していくのです。

まとめ

営業の仕事は、解決策を提案すること

3-4 思ったことは、はっきりと言う

「仕事が遅すぎる」、「考え方が間違えている」、「言動が誤っている」など、若手だけでなくおじさん営業でも違和感を感じることは、たくさんあるかと思います。

これは、社内、社外どちらにおいても言えることです。

とても気になっているのに、「口に出さず、問題をそのままにしている」ケースは多くありませんか？

もちろん、はっきり言うことによって、嫌な雰囲気になることもあるでしょう。

しかも、よりよい仕事をするためのコメント、若手の成長のためのアドバイスをしているのに、嫌われてしまう。

嫌われると面倒だから、黙って見過ごしてしまおう。そんなふうに考えてしまいがちです。

思ったことは、はっきり言う

よくないと思ったことは正直に言ったほうが、
お客様の信頼も勝ち得る

思ったことを言わない職場で、よい仕事ができるとは思えません。

また、上から下に対してではなく、下から上に言うこともあることでしょう。

経験を積み、大物になればなるほど、言ってくれる人がいないのか、また言われることが少なくなるのか、言われた際には本当にありがたく、素直に受け入れてくれるものです。

立場は関係なく、よくないことは、よくないと言う。

このような基本的なことができると、お客様からも信頼されます。

まとめ

うやむやに見過ごす体質を改める

3-5 FtoFのコミュニケーションを大切にする

私は数年間にわたり、大阪、秋田、岩手、宮城、福島、札幌、新潟、金沢、富山、北九州の出張三昧の日々を過ごしていた時期がありました。

月曜の朝に東京のオフィスに1週間分の着替えを持って出社し、営業会議に参加し、午後に新幹線か飛行機に乗って出かけ、毎日違う場所に移りながら、お客様や社内・ビジネスパートナーと会議をし、金曜に自宅に帰るという生活です。毎日が飲み会で、それぞれの地域の美味しいものを食べられたのはうれしかったのですが、体力的と体重的にはつらかったです。

電話で済ませることなく、現地に出向くことによって構築できる人間関係はとても大きく、電話では話してくれないことも話してくれます。

コロナ禍以降、オンライン会議が増えていますが、パソコンやスマホの画面上だけでは、なかなか心を開いてくれないお客様もいます。リレーションもなく、買いたい気持ちになっていないお客様であれば、正直オンラインでのやりとりは難しいと私は思います。

画面越しに顔が映っていたとしても、性格やちょっとしたしぐさや表情の変化は、正直言ってよくわかりません。

私はコロナ禍で在宅勤務になりましたが、実はほぼ週1回、もしくは隔週で友達と飲んでました。稼いでいる周りの人たちは、私と同じような行動をしていました。稼いでいる人ほど、オンラインではなくFtoFを好んでおり、その重要性を理解しているように思えました。

今の私があるのは、私生活で自分より稼いでいる人と仲よくなって、頻繁に遊んでもらえることによるものだと思うことも多いです。

よく聞くのが、「身近な人の年収が、自分の年収になっていく」ということです。オンラインではなく、FtoFでの時間を長く一緒に過ごすことにより、彼らの行動を自然に学んでいたのです。

もし、憧れの先輩のようになりたいのであれば、その人といる時間を増やすのが一番の近道です。

まとめ

「画面越しのつき合い」では真の人間関係はつくりにくい

FtoF＝対面での
コミュニケーションを大切に

オンラインでのやりとりだけに頼らない、
面と向かった意思疎通が重要

3-6 使ってはいけない言葉

ついつい、使ってはいけない言葉を発していませんか。

「結構です」、「構いません」など、同じことを言うのもマイナスに聞こえる言葉です。「結構です」は「大丈夫です」に、「構いません」は「お願いします」に直しましょう。**社内・お客様にとっても、あいまいな言葉使い、返答は避ける。**

また、メールの文面においても、気をつけたい言葉があります。「〜ですか?」は、「教えてください」としっかり伝えるようにしてください。

例を挙げましょう。

言い回しはポジティブに

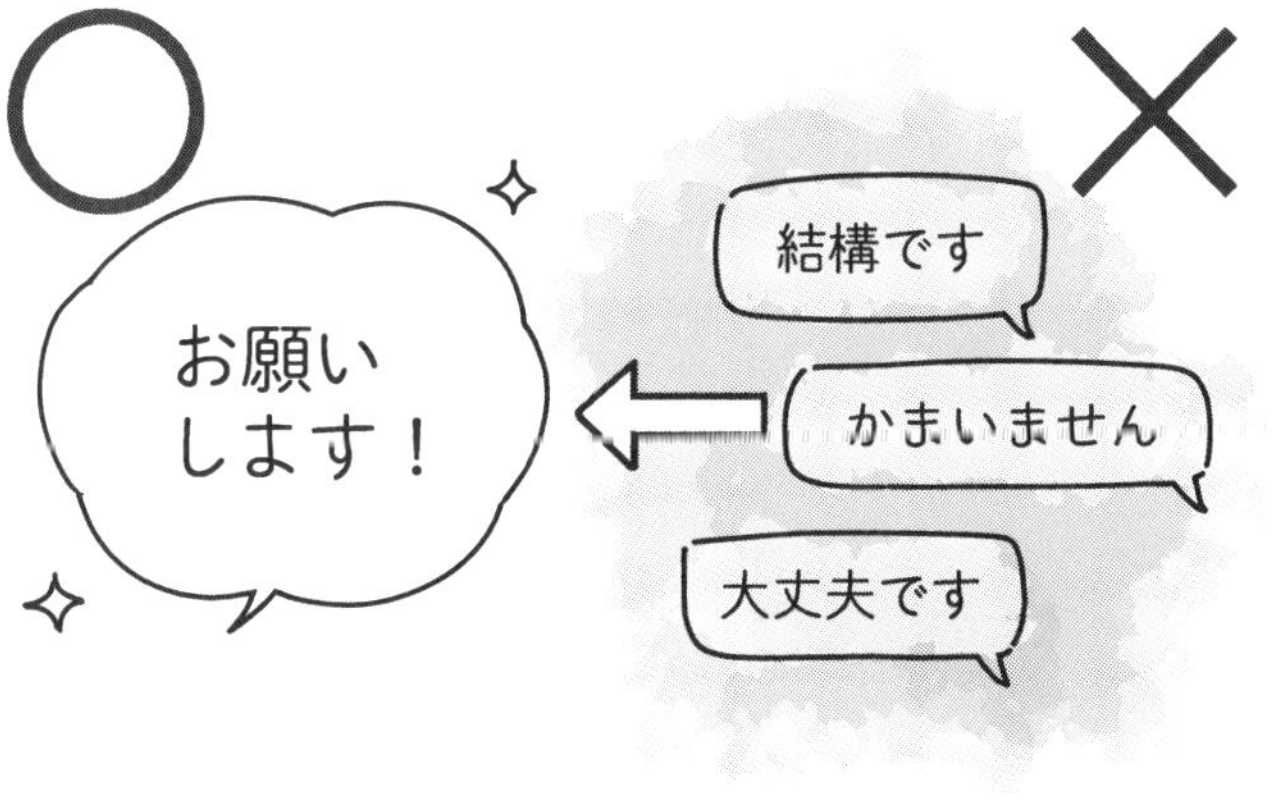

あいまいな言葉遣いは逆効果、
明快で前向きな言い方に変換する

×「契約締結時＝請求書の即発行のタイミングですか？
それともライセンス使用開始日ですか？」
↓
○「ライセンスの売上計上は下記のどちらになるのか教えてください。
・契約締結時＝請求書の即発行のタイミング
・ライセンス使用開始日」

修正後のほうが読みやすく、伝わりやすくなっているのがわかるかと思います。
言葉使いに気を遣うことができるのも、稼げる営業マンの条件ではないでしょうか。

まとめ

言葉を大切にできるのは、相手を尊重している証拠

3-7 短い言葉で適切に

いつも、とても長文のメールを送ってくる人がいます。

「起承転結」の文面前後に、装飾された文章がたくさん入っているケースが多く見受けられます。本人は、丁寧に説明を入れてくれているつもりですが、読むほうは大変です。小説家であればいいですが、ビジネスでは不要です。

つまり、短い文章で「起承転結」を的確に伝える訓練が必要なのです。

それは書いている自分自身の時間の短縮と頭の整理になります。読む側においても、時間が短縮でき、要点を短時間で把握してもらえます。

相手の貴重な時間を奪っているということに、注意してほしいのです。

かつ、たくさんの文章を読ませてしまった上に、何が言いたいのかほとんど伝わらなかったという悪循環は避けてください。

社内、社外においても、伝達は的確に理解してもらうことが重視されます。また、早くレスポンスすることが求められます。「時間」がとても重要になってきます。

まとめ

無駄を省くことにより、伝達も的確になる

3-8 フィルターをかけずにすべてを伝える

誰かになにかをお願いする際は、現時点で自分が知っていることや、現場で対応が必要になると思われることなど、すべてを伝えることが大切です。

全体像をわからずに進めると、間違えたアウトプットになってしまいます。

例えば、お客様から「パソコンが欲しい」と言われたとします。パソコンといっても、ノートPCなのかデスクトップなのか、また性能についても高価でもスペックが高いものを求められているのか、それともスペックは重視していないので安いものが欲しいのかなど、「パソコン」といっても、「どのようなものを求められているのか」を細かくヒアリングして、お客様の希望を明確にするために落とし込んでいきます。

案件を複数並行して仕事を進めていると、アウトプットが不明瞭のままタスクを共有することになり、メンバー内においてもロスが多くなります。ロスが重なることは、それだけ時間がかかることになり、お客様に迷惑をかける結果につながります。

社内であれば、ミーティングで話したら、すぐアウトプットしたものを共有していきましょう。間違いがあったらそのことをメンバー内で共有して、修正していくことを積み重ねていくのです。

まとめ

勝手に自分のフィルターをかけない

アウトプットを共有する

ミーティングで話に出たことは、
すぐにみんなで共有するようにする

3-9

早く伝える

よいことも悪いことも、早く伝えるのが本当に大切です。

特に悪い話ですと、場合によっては、時間が経過すればするほど傷口が広がり、取り返しがつかなくなる場合もあります。

若い頃、私は、失敗を周りに知られないように、自分でなんとか解決しようとしていたことがありました。自力で解決できることもたくさんありましたが、経験が足りない分、処理するのにとても時間と労力がかかりました。

今は、悪いことこそ速攻で伝えるようにしています。そのことにより精神的な重荷も減りますし、解決も早くなるからです。

「悪いことを隠す」という発想は、捨てました。起きてしまったことは、なかったことにできません。

そして、ひとりでリカバリーするより、チームでリカバリーしてもらったほうが早く、的確に解決できるのです。

まとめ

失敗も正直に話し、メンバーと共有する

3-10 間違えたら、素直に訂正する

間違えたまま、修正しないのは、本当に困ります。

しかし、修正をしない人は、結構います。

インプットが間違えているから、アウトプットも間違えたものになる。

アウトプットが出てから、実はここが間違えていた、ということがあります。これでは、時間と労力の無駄遣いです。

たとえ、言いにくくても、間違えたらすぐに修正することが大切です。自分は大変なことをしてしまったと思っても、もしかしたら、相手はたいしたことではないと思っているかもしれません。

相手が気づいてなくて、「訂正してくれて、ありがとう」と逆に感謝される場合もあります。

間違っていたら すぐに謝って訂正

言いにくくてもすぐに謝るほうが、
お客様からも感謝される

チーム内での情報共有においても、伝言ゲームになり、きちんと伝わらないこともあるかと思います。ミーティングしたら、できるだけ早くアウトプットして、情報提供する習慣を身につけてみてはいかがでしょうか。

間違いも減る、お客様へのレスポンスの速度も上がる。

お客様からの大きな信頼を得られることも間違いありません。

まとめ

誤りは1秒でも早く訂正すると、傷は浅く済む

第 4 章

巻き込み作戦

4-1 飲み会の幹事を引き受ける

コミュニケーションを密にするのに、飲み会の幹事を務めることほど、いい機会はないと思います。理由は、参加者全員とコンタクトやコミュニケーションができるからです。

幹事は飲み会の参加の可否の確認などで、普段コンタクトできない役員や、他の部門の偉い人にもコミュニケーションをとることができます。

幹事になると、全員が楽しく食べたり、飲んだりしているかも確認する必要があります。そのため、グラスが空いていたら、席の近くでなくてもおかわりの声をかけたり、お酌にいったりしても不自然ではありません。食事のとりわけなども進んで行うだけで、周りの人から高ポイントをゲットできます。

たとえ、飲み会の際にあまり話せなかったとしても、飲み会の後でも顔を覚えてもらってい

飲み会の幹事は
率先して引き受ける

お店のセレクトやその場での振る舞いも営業に役立つ

るので、仕事もやりやすくなるでしょう。

営業は、接待や会食などでお店を予約することが、仕事の中で発生します。**お店をひとつ予約するにも考えるポイントはたくさんあります**。「料理はおいしいだろうか」、「個室のほうがいいのだろうか、それともあえてカジュアルにカウンターのほうがいいのか」、「お客様の好みの雰囲気のお店なのか」、「店員さんは、フレンドリーか」、「お酒のクオリティーや種類はどうか」、「お客様がアクセスしやすい場所か、また、ご自宅に帰りやすいか」といったことなどです。

営業にとって重要な接待という場に馴れていないのであれば、日頃から訓練するのも大切です。

以前、私が隣の部署に異動することになり、上司が新人に送別会をセットするように指示を出しました。その場所は会社から徒歩20分くらいで、歩くには少し遠いし、会社の最寄駅からも電車で行けない場所でした。そのため、みんなでタクシーに乗って向かいました。しかし、居酒屋のチェーン店のような店構えで、料理もお酒もいわずもがなのクオリティでした。

このレベルのお店であれば会社の近くの別のお店でもよかったのに、なぜ？　という選択だったので、私は正直、驚きました。

一方、上司は隣の部署への異動なのに、私にバカラのワイングラスをプレゼントしてくれました。上司と新人の対応のギャップがすごすぎるなと思いながら、飲んで酔っ払っていくうちにだんだん頭に来て、お店を選んだ新人に説教をしてしまいました。

「今回は社内の送別会だからいいものの、この場が接待であり、お客様がサラリーマン人生をかけて高額案件の上申をしようとしていたら、どうなると思う？」と言いました。

新人は反省してくれて、次回の部門の打ち上げの際は、きちんと事前にお店を下見して、みんなが喜ぶお店を予約していたと聞き、営業として少し成長してくれたことをうれしく思いました。

まとめ

飲み会の幹事はおもてなし術を身につける、最高の勉強の場

4-2

お土産のお菓子

私は海外旅行が大好きで、年に数回、海外に行きます。

その度に、ひとつずつ包装されていて、配りやすいお菓子をたくさん買ってきます。いつもお世話になっている人には1箱、席の近くや会議で会う人には小袋ひとつずつ配っています。

すると、普段あまりコミニュケーションしない席の周りの人から、「どこに行ってきたの？」と言われ、雑談をするきっかけが生まれます。

また、社内スタッフにお願いしにくい、手間のかかる要件を頼みに行くときも、小袋ひとつの、お土産を片手に話に行きます。何気ないちょっとしたことなのですが、場が和やかになり、無理なお願いもすっと引き受けてくれたりします。

成功の近道は「give and give」です。

高価なものやスキルを「give」できなくても、ちょっとした小さなものをたくさん「give」をしていると、知らない間に「take」をたくさんいただけるようになります。

まとめ

「give and give」のマインドを大切にする

4-3 会議で参加している人の人間ウォッチング

自分に関係ない話は聞かずにパソコンで内職していたり、出入り自由な会議の場合は、自分の関係があるところのみ参加して、終わったら出ていくということはよくあるかと思います。

でも、せっかくいろんな人の意見や考え方、仕事の進め方を学ぶチャンスなのにもったいないと、私は思います。

また、普段仕事でからんでいない人については、「どういうところが強いのか」、「どういう性格なのか」を知るチャンスです。

例えば、困ったら誰に相談したらいいのかなど、いざというときに自分の手駒をストックしておくことができるようになります。

営業は、自分ひとりで完結できる仕事ではありません。

会議に参加している人をウォッチング

いろんな人の意見や考え方を知ることは、
仕事を学ぶいい機会

最強の布陣を組むためにも、社内の人脈づくりはもちろんのこと、そのための情報収集をしておくことは決して無駄ではないと、私は思います。

まとめ

情報収集も重要な戦略として考える

4-4 存在をアピール（会議で質問・意見を積極的に）

ＩＢＭに入社した頃に、先輩にこんなことを言われました。

「会議で発言しない人は、壁のハエと同じ」

そんなことを言われても、私は知らないことばかりで、ついていくのに精一杯なのに、と思っていました。

質問をひとつするにしても、「こんなこと聞いたら恥ずかしいだろうな」と思い、いつも躊躇していました。

しかし、周りの人を見ていると、素直になんでもわからないことを聞いていたり、わかる人がそれに快く回答したりしていました。

さらに、そのことについて質問やディスカッションがひろがったりと、話している以外の人にとっても役立つ情報が得られたものです。

「わからないこと」をそのままにしておくよりは、素直に「わからないこと」を聞く。

その素直な姿勢も、いろいろな人に好かれる条件になるのではないでしょうか。聞かれた人も、親切に教えてくれます。そのことにより、親近感も湧くことにつながります。

また、自分を売るには、相手から声をかけられるのを待つより、自分からアピールしないと向こうも見てくれないと思います。

特に、実績がまだ出ていないときは、あなたがどういう人か相手もわかりません。積極的に自分をアピールしていきましょう。

まとめ

出る杭は、打たれない

4-5 得たいゴールを明確にする

「案件に勝ちたい」、「獲得したい」というのは、営業として強い思いがあってもいいのですが、それをあからさまに表現する人が本当に少ないと思います。

例えば、「旅行でイタリアの青の洞窟に行きたい！」と思ったら、「どうやって行くのがいいのか」、そのために「どんな情報を得ればいいのか」、そして「どういう人たちに助けてもらう必要があるのか」など、**明確になにをすればいいのか、具体的なアクションが見えてきます。**

また、そのことを公言すると、周りの人も協力しやすくなります。思いを個人の中でしたためて、虎視眈々と仕事をするのも美しい姿かもしれません。しかし、会社を背負って勝負する際に、独りよがりの思いを秘めたままでいるより、いつでも、どこでも、その熱い思いを公言した上で勝負したほうが、勝率が上がるのでは？　と私は思います。

そのためには、ゴールを明確にしていく。できる限り具体的にしていく。

「ただ、勝ちたい」とひとりでひた走るよりも、より多くの人に理解してもらい、巻き込んでいく手段を考えたほうが、営業の仕事には得策になります。

まとめ

明確なゴールに向けて、具体的な行動を起こす

明確なゴールに向けて行動を起こす

ゴールをはっきりさせておくことが、
次のアクションを明確にする

4-6 ゴールに辿り着くまでのメンバリング

提案に必要な人をきちんと把握して、打ち合わせやメールのメンバーに入れるということをしていない人が本当に多いです。

そもそも提案に必要な役割や人材を理解していないのか、いつも打ち合わせに参加している人だから大丈夫だと思っているのか、「仕切りが悪い人」が結構います。

必要なメンバーが参加していないと効率のよいディスカッションができなかったり、課題をクリアできず改めて先延ばしになったり、よい提案がいつまでたってもできません。

例えば、テレビの撮影で、芸能人がエベレストに登頂しようとしたら、山岳ガイド、カメラマン、医者、食事係、荷物を運ぶ人、マッサージ係など、多くの人が必要となります。

誰ひとり欠けても、撮影がうまくいかない可能性が高くなります。

営業の提案活動も同じで、提案に必要なメンバーは誰なのか、明確に把握する。

もし、そのメンバーでは経験不足・知識不足と感じたなら、できる人に助っ人に入っていただく。

ビジネスは戦いです。最高のメンバーで挑むから、戦に勝てるのです。

まとめ

メンバリングをきちんと把握し、動かす

4-7 力不足・リソース不足はないか、常にチェック

「お客様の課題がとても難しい」、「コンペで、相手が素晴らしい提案をしてきている」など、営業の仕事の現場で苦しい戦いになる局面は多いかと思います。

そのときに、今の提案メンバーでそれぞれの役割をきちんと全うできる人が入っているのか否かが、とても重要になります。

入社したばかりの新人だと、経験と知識が不足するケースが多々あります。その場合は、その人の上司にも常に案件に入ってもらい、対応してもらうことが大切になります。

また、ワークロードが膨大になる場合は、人数を増やし、手分けして対応する必要が出てくる場合もあります。

そのために、あなたはその仕事の過程において、力不足、リソース不足な部分がないかどう

人材の力不足、リソース不足がないかチェック

課題に見合う人材が揃っているかどうか
確認するのも重要な仕事

か、チェックしていかなければいけません。
そして常に、先回りしていかなければいけません。

まとめ

仕事の全体を把握し、滞らず進めていく

4-8 欠けている人・もの・金を把握する

案件を獲得するためには何が不足をしているのかを把握しないで、未整理の状態でお客様に提案活動をしているケースがよく見られます。

コストや人手がかかりますが、「貸し出しマシン」を調達し、SEさんに「環境構築」と「POC対応」をしたほうがいい場合もあります。そのような状況は少なくありません。

それなのに、最初から、このような状況になった際にすぐに諦めていたら、案件を成立させることが難しくなってきます。

簡単に決まる案件はなかなかありません。成立が難しいから仕事になるのであって、営業であるあなたの出番となるのです。

お客様をハッピーにさせるために、あなたがどれだけ相手の要望に対応できるか、笑顔にさせるために準備を怠らず遂行できるか。

そのために、何が足りているか、そして足りないかを、きちんと把握していないといけません。

最初から完璧な設計図をもって、案件を進めるわけではありませんが、お客様と一緒にゴールに向かって伴走する以上、問題になりそうなことは最初から潰しておかないといけないのです。

まとめ

常に現状を把握し、不測の事態に対応していく

4-9 躊躇や遠慮なく、ベストな体制を構築する

営業は、お客様と相対する最前線の仕事です。

また、お客様によっては、提案側に無理難題を出してくるケースもあります。

しかし、無理難題はお客様の希望であり、求める「ソリューション」なのです。そのため、社内の通常の仕組みや流れで対応できないのであれば、躊躇なく社内にリクエストすることが大切になってきます。

私たちの給料は当然ですが、お客様からいただいています。会社ではありません。この基本のことをきちんと把握されていない人が多いです。

営業は、お客様と日々接していますし、ご契約をいただくという経験を日々しているので、実感できると思いますが、営業以外の社内スタッフになると、常に膨大な事務処理などに追わ

れて、そのことを忘れてしまっている人も見受けられます。

「営業職の人を助けてあげている」と勘違いしている人もいます。

そのような人たちの意識を「お客様ファースト」に修正させる。自分も、反芻して確認する。

そして、「お客様ファースト」になっていないのであれば、躊躇せず、遠慮なく、注意を促し、案件を進めていく。ゴールまで最初からベストな体制で挑むのが難しいのであれば、進めていく過程の中でベストな体制に修正していくクセをつけましょう。

まとめ

「お客様ファースト」をスローガンに挙げている会社は、「お客様ファースト」ができていない会社

「お客様ファースト」を
第一に考える

「お客様ファースト」になっていないのであれば、
遠慮なく注意していく

4-10
少しでも不安や問題が発生したら、放置しない

私も若いときは、自分の能力不足・経験不足を隠したいために、不安なことがあっても相談せずに自分でなんとかしようとしていました。

しかし、小さな不安や問題の解決を先延ばしにしたり、放置したりすると、後々、大問題になったり、そのことにより案件が取れなくなったことがありました。

ＢｔｏＢ営業はチームセリングです。個人でなく、会社の全員で解決すればいいのです。

自分ひとりで抱えていると、気持ち的に辛くなりますが、みんなで共有すると辛さも分散されますし、解決も早くできます。

早期解決することによって、お客様との案件もリカバリーすることができます。

私は、「他責」も「自責」と考えて対応しています。

「他責」のほうが、自分の心の痛みも小さいので、どんどん積極的に行動できます。少しでも不安や問題が発生したら、「放置しない」ように徹底しています。

お客様との信頼関係においても、この習慣はとても役に立っています。

まとめ

不安や問題が発生したら、時間をあけずに「即対応」

4-11

できない理由は探さない

ちょっと大変なことが起きると、「なぜできないのか」という理由を言って押さえ込もうとする人がいます。

しかし、私は、「本当にそれはできないことなの?」と、いつも思います。

なぜなら、私は「どうしたらできるだろう」と常に考えているからです。すると、あるとき、「これだ!」と解決策が、降りてくる場合があります。

逆に「できない」と思ったら、「できる方法を考えなくなる」のです。

観点は少しずれますが、私は「どうやったら自分はラクして、みんなが協力してくれて、いい仕事ができるか」を常に考えてます。

しかし、最初から「そんないい話ないよね」と思ったら、一生その方法は見つからないと思いま

「できない理由」を探らず、「できる理由」を考える

後ろ向きの考え方に引っ張られず、
新しい可能性を追っていく

す。

ところが、「ラクして稼げるようになるにはどうしたらいいか」を常に真剣に考えてると、ある日突然閃いたり、いろいろな情報が入ってきたりします。

もちろん、自分のできることは、最大限200％の力で頑張ることも大切です。

しかし、単純に「できない理由」を探すより、「できる理由」を考えたほうが、自分にとってプラスになると思いますが、いかがでしょうか。

まとめ

「必ずできる」と思えば、必ずできる

4-12
負けても、言い訳はしない

よく子どもの頃、テスト前に勉強したかどうか、確認し合うことをやっていました。「たいして勉強していないよ」と友達には言いますが、本当は徹夜までして勉強してたのだろうと、私は思います。これは、点数が悪かったときに言い訳するための逃げる余地を無意識で残している言動かもしれません。

仕事も一緒で、「時間が十分にとれなかった」、「他の仕事に追われていた」、「トラブル対応で提案どころでなかった」、「よい提案メンバーをアサインしてもらえなかった」などなど、言おうと思えば、言い訳はなんとでも言えます。

しかし、営業はお客様にハッピーを届けるとともに、社内のメンバーの給料を稼いでこないといけないのです。

言い訳する余地があるのなら、まずそれを潰しましょう。

全力で200%の力を出してみませんか。仮に、そこまでして負けたら、かえって気持ちよくありませんか。諦めもつくのではないでしょうか。

真剣に取り組めば、涙も出てきます。そこまであなたはできてますか？

まとめ

言い訳からは何も生まれない

4-13 自分は強運だと思うこと、運も実力のうち

運がいい人、よくない人って本当にいるなと、私は思います。

ちなみに私は自分のことを「スーパー運がいい人」と思っています。

パナソニックグループの創業者、松下幸之助は採用面接の際に、入社希望者たちに「君は運がよいか？」と聞いていたとのことです。自分が運がよいかどうかということは、それほど重要なのでしょう。

例えば、駅の階段で人にぶつかり階段から落ちて、頭を打って流血したとします。たまたま周りの人が見つけてくれて、救急車を呼んでくれたおかげですぐに治療できたので、たいした後遺症もなかったから、とても強運だと思うのか、それとも、そもそも駅の階段で落ちてケガをしたから不運だと思うのか。起きたことは同じだとしても、それをどのように受け止めるか

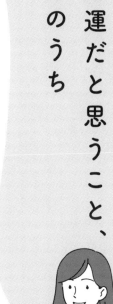

で、意味もまったく変わってきます。

自分で、「私は運が悪い／不幸だ」と思う人はたくさんいます。**そのように思うからよけい不幸になり、マイナスを自分で引き寄せてしまうのです。**

営業は3ヶ月ごとの売り上げに対して、コミッションが払われます。新年度になると組織替えに伴い、担当するお客様が変更になる場合があります。

担当替えの前に、大きな案件をクローズできず、他の人に引き継ぐこともあります。逆にずっと長い間、提案活動していたお客様を引き継ぐこともあります。

私が年収6602万円をいただいたのは、いろいろなラッキーなことはありましたが、ひとつの理由はこの「担当替え」でした。数年前に前任の営業の方が営業部長に昇進したため、偶然、とても大きな案件が控えているお客様を担当させていただけたのです。

でも、これは運だけではないのです。

私をこの案件の担当にすることを決めた上司が言うには、「あなたは社内のプレッシャーに負けてメンタルをやられたり、方針を変えたりすることがなく、淡々と対応できる。それに『勝ちへの熱量』も強く、物事の本質を見抜き、理解する力と、いい案件か否かを嗅ぎ分ける嗅覚がピカイチだし、チームメンバーを大切にしていている」という理由で、このような判断をしたというのです。

つまり、選ばれる素養があった上に、運が味方してくれたのです。

まとめ

運が味方するのは、それまでの土壌づくりも重要

4-14

質問に対しては、ひとつずつ丁寧に答える

ちょっとしたメールのやりとりや、話をしていると気になることがあります。

例えば、質問などにストレートに回答していないケースです。

こちらの質問に回答せずに、一方的に持論を展開している人に対して、人は耳を傾けてくれません。それだけでなく、だんだん質問や相談もしてくれなくなります。

質問などされたときに、その内容について、相手のことを考えて答えていますか。

まず、質問を熟読していますか。質問に対するあなたの見解も飾り言葉、まえがきが長くなっていませんか。まずは、答えを簡潔に伝えるべきなのです。

相手のことを考えて、できる限り、即対応をする。わからなければ、「わかりません」とはっきり伝える。ただし、他の人なら知っているかもしれないのであれば、知っている人に確認し

質問には丁寧に答える

つねに相手の立場になった上で「即対応」を

て回答する。

相手の立場になって考え、行動する。このことを踏まえて対応しているか否かでは、社外・社内の人間関係においても大きく影響してきます。

まとめ

対応に、相手への気遣いがあらわれる

第5章

おじキラー営業のノウハウ（奥の手）

日本においては残念ながら、女性がビジネス社会で大きな意思決定に関わることが少ないのが現状です。男性においてもキーとなってくるのは30代半ばから50代、いわゆる「おじさん」になります(20代前半の方から見れば、30代はもう「おじさん」です)。

ここでいう「おじさん」とは、現役でバリバリ働いている、仕事のできる男性のことを指しています。社内でも社会でもマジョリティである「おじさん」と仲よく働く、味方になってもらうには、この「おじさん」の特性を理解し、利用することが、仕事をうまく進めるためにとても重要になってきます。

これは、「おじさん」だけでなく、男性全般に言えることです。つまり、狩猟民族時代からの男性の本能に沿った考え方です。

ここでは「おじさん」としていますが、この考え方は、「女性⇒男性」はもちろんのこと、「男性⇒男性」、「年下男性⇒年上男性」でも有用になります。

つまり決定権限を持っていたり、仕事ができる男性であるということが、ここでいう「おじさん」の前提になっています。

数えきれない経験、辛い経験、修羅場をくぐり抜けてきたからこそ、知っていること、今までの経験、知識が「おじさん」には豊富に詰まっているのです。

ところが、基本的に「おじさん」からあなたに声をかけてくれることはありません。あなたから、あえてこちらから聞いていかないと、「おじさん」がスキルを出して教えてくれることはないでしょう。しかし、今までの成功体験を多くの「おじさん」は話したがっている、むしろ教えたがっているのです。

私が今まで見てきた、第一線で活躍してきた仕事のできる「おじさん」は、

1．頼られたら、がんばる
2．難題があると、乗り越えようとする
3．褒められると、表面上はポーカーフェイスだが、心の中でガッツポーズをとる

この3つの要素を踏まえています。

次ページから、具体的に詳しく攻略法を紹介していきます。

「おじさん」とのコミュニケーションを上手にとるために、ぜひ、活用してください。

5-1
「おじさん」は頼られたい

男性は困ったことを相談されると、「俺は頼られるだけの男だ！」と心の中で自画自賛しています。そして、男性脳は解決のためのプランを導き出そうとします。困っている理由はなにで、どこに原因があるのか、そのためにはどうしたら解決できるのかを無意識に考え始めるのです。

若手からすると、問題はなるべく周りに迷惑をかけずに自力でこっそり解決しようと思いますが、それは大きな間違いです。問題や困ったことは大きくなる前に対応したいと「おじさん」は思っています。

例えば、システム開発など、問題が発生すると、「俺が解決するぞ！」と腕まくりしてニコニコ寄ってくる人が結構います。

そして、プランAをやってうまくいかないなら、プランBを……と、攻略することを楽しそ

うにやってくれます。

解決したら「俺ってすごい」と内心で思い、心の中で自画自賛するのです。

男性はロールプレイングゲームが好きなことを思い浮かべてみれば、腹落ちするのではないでしょうか。男性は常に『ドラクエ』の主人公なのです。

まとめ

「おじさん」は、頼られることを喜ぶ

5-2 「おじさん」は褒められたい

内心で自画自賛するだけでなく、男性は褒めて欲しいものなのです。

「豚もおだてりゃ、木に登る」とまで言いませんが、「おじさん」は「〇〇さんのお陰です、ありがとうございます！」と言われたとき、表情や態度は普通かもしれませんが、心の中で、大きなガッツポーズしているのです。

仕事で助けてもらったときなどは、感謝の言葉をあえて口や文章（メール）にしましょう。うまくいかなかったときもアドバイスをしてもらったり手伝ってもらったのであれば、結果、その案件がどうなったのかもきちんと報告したほうがいいです。

「おじさん」は、礼儀や筋を重んじる性質があります。このようなやりとりを重ねることによって、信頼を得ることにつながっていきます。

感謝したことを心で思ったままにしておいても、当たり前ですが、相手には伝わりません。ぜひ、恥ずかしからず伝えてみてください。

「具体的にこういうことでビジネスがうまくいきました」、「○○さんのアドバイスがなかったらクリアするのが難しかった」など、心の中で思ったことを伝えましょう。

難しい言葉を使う必要はありません。**人として感謝を述べるだけでいいのです。**他人に何かをしてあげて、褒められる。「おじさん」問わず、男性は、褒められることがうれしいのです。

例えば「さすがですね」と言いながら、少しオーバーなくらいのリアクションをしたほうが、「おじさん」は喜びます。褒め言葉としては、他に「最高です」、「素晴らしいです」、「すごいですね」、「素敵です」、「その通りですね」などが有効です。

メールなどで感謝の意を伝える際は、その方の上司や関係する人などにCCを入れて送るのも効果的です。

まとめ

「おじさん」は、褒められることでさらによくしてくれる

5-3 「おじさん」は困難や問題解決をするのが好き

「おじさん」は、困難や問題を解決するのが好きな性分です。

例えば、システムダウンした際、バグを探すなどの作業が発生すると、問題解決に向けて「おじさん」の参加人数が増え、我が先に問題解決するといわんばかりに躍起になる光景を見てきました。

問題を解決するのが楽しいのでしょう。周りの人が解決できなかったところを、「我、一番」というのぼりを立てたいばかりに、徹夜してまでバグを修正する、熱い「おじさん」たちです。

男性の性分なのでしょうか。困っている人を見るとほっとけない性質なのか、相談をもちかけると、すぐにアドバイスをしてくれます。ただし、なんでも相談を持ちかければいいというわけではありません。相談する相手の得意分野ではないことを聞いても煙たがれるだけです。

「おじさん」は相談されると喜ぶ

トラブルや気になることがあれば、
臆せず相談してみるのが吉

ですから、相談する際には、相談相手の経歴、経験をはじめ、得意なこと、成功したことを事前にリサーチしておきましょう。**リサーチといっても根掘り葉掘り聞くのではなく、普段の何気ない会話や、会議での発言、飲み会でのコミュニケーション、周りからの評価などを常に自分の頭にストックしておけばいいだけです。**相手も得意なことについてであれば、その経験から学んだスキル、人脈などを惜しみなく教えてくれます。

特にトラブルについての相談は、「おじさん」も偉くなれば偉い人ほど、早く相談をしてほしいと思っています。トラブルは大きくならないうちに早めに解決をすることが、ワークロードも傷も浅く済むことを知っているので、積極的に相談をもちかけましょう。

トラブルになると「おじさん」は、かえって腕の見せ場とばかり、張り切ります。そういう「おじさん」はポジティブな方が多く、前向きにアドバイスしてくれます。

「おじさん」は、聞いてくる相手のことをきちんと見ています。一生懸命やっているけどうまくいかない、そのような人を「おじさん」は助けたくなるのです。

決して優秀でなくてもがんばっているなど、1カ所ぐらいでもいいところがあれば、「おじさん」は助けてくれます。しかし、性根がくさっていたり、ふてくされていたり、マイナス思考の人は難しいです。

ついでにいうと、YESマンではないほうが、「おじさん」に興味を持ってもらえるかもしれません。「おじさん」が偉いから、言うことには何でも素直に従うのではなく、おかしいと思ったり、納得できないことがあれば、しつこく聞く。不満があったら、きちんと伝える。

仕事ができる「おじさん」は、他人の意見を大切にしてくれます。偉い「おじさん」ほど、謙虚に対応してくれるのです。

まとめ

「おじさん」は相談されると、いろいろ考えてくれる

5-4 「おじさん」は甘えてほしいと思っている

本来、その方の仕事でないものを、お願いしないといけないことが、時々あります。

序章で書いたように、私は外資に25年いるのに英語はTOEIC600点以下で、ビジネス営業はまったくできませんでした。そのため、グローバルとの会議があると、英語のできる人に頼っていました。

グローバルとの会議は時差の関係から朝早かったり、夜遅かったりします。私はそういうときに、お煎餅1枚を持って通訳をお願いしに行きます。

時間外に働くのは嫌だけど、「頼られたら、しゃーないなー」と、引き受けてくれます。

そして、「おじさん」は「俺ってやっぱいいやつ！」と心の中で自画自賛するのです。

まとめ

「おじさん」は、心の中でガッツポーズをとる

5-5 「おじさん」はダメな子ほどかわいいと思っている

「俺が守る！　俺が育てる！」。

先述しましたが、男性脳は解決することが好きです。『たまごっち』を育てる感じです。犬の散歩を、奥さんより旦那さんがしている家は多いと思います。父性が子育てするように、未熟な部下やできない人をフォローしたり、成長を促すために動くのです。

私は社内へのリクエストは結構厳し目なほうなのですが、内容自体は正論なので、「こいつは本当に口も性格も悪いけど、サポートしてあげなくちゃ」となるのかもしれません。

営業はできるけど資料づくりもプレゼンも細かい作業も苦手、おまけに英語もできないダメダメちゃんな私ですが、稼げているのは、みんながサポートしてくれているからなのです。

「私はできる人です」と無理して背伸びしてカッコつけるのは損です！　「できない子」で突き

抜けるくらいが、「おじさん」にとってもいい感じに映るのかもしれません。

ここで重要なのは、「できない子」なりに、普段から人より何倍も何十倍も頑張っている、行動しているということです。

口では誰でも何でも偉そうなことは言えますが、行動が伴っていないと、そのうちずっと「できないダメな子」のまま、みんな離れていきます。

まとめ

「おじさん」は頑張っているけれど「できない」子ほど、フォローしたくなる

5-6 「おじさん」は食いついてくる人が好き

私はよく「物おじしない」と言われます。そのため、役職や立場を関係なく素直に思ったことを言ったりします。納得がいかなくて譲れないことや、私の頭が悪くて理解できないことは、解決するまでしつこく聞きます。

そうすると「おじさん」からは、「ガッツがあっていいね！」と受け取られます。

特に上の立場の人はガツガツ来られると、「受けて立つ！」、「見どころがあるやつじゃないか！」となります。

これを自分よりできない人や弱い人にやるとパワハラになりますが、逆は大いに「やったもの勝ち」になります。

自分より立場の弱い人に向かって上から目線だったり、高圧的であったり、ヒラメタイプ（目が上についていて、上の人に好かれることしか考えていない）な人が稀にいますが、そのような人のことを、仕事ができる「おじさん」はすぐに見透かします。

まとめ

「おじさん」はガッツがある人が好き

5-7

「おじさん」は構ってほしいちゃん

「おじさん」は長年の経験から、仕事を効果的にできる習慣がついています。したがって、時間的に余裕が持てるようになります。特に仕事のできる人は顕著です。

そのため、**過去の古い話でわからないときは、生き字引きのような「おじさん」に率先して聞いてみるといいでしょう。**そうすると、聞いた以上のことをたくさん話してくれます。

話が長い「おじさん」もいます。「早く終わらないかな」と思うことも多々ありますが、そのようなかにも「聞けてよかった」という事柄は、少なからずあるものです。

いろいろ教えてもらうためにも、話好きな「おじさん」を見かけたら、少し低姿勢で構ってあげましょう。

そうすると、愚痴りながらも武勇伝を話してくれたり、難しい件の社内承認を取る攻略法を教えてくれたりします。

まとめ

「おじさん」は、過去の成功体験を教えたがっている

5-8

「おじさん」は飲みニケーションが好き

「まずは人間関係を作る！　そのためには飲み会だ！」。

このような思いは社内も社外にも「おじさん」には共通しており、社内であれば仕事終わりに夕食を食べるという名目で飲みに誘ってきたり、大きな社内会議の後には必ず懇親会をセットするように指示してきます。

私も若い頃には、毎回つきあわされるのはお金の面でもきつかったですし、気を遣うので心の底から楽しめないし、時には説教されるから好きではありませんでした。でも、よく考えてください。**自分より経験もありスキルの高い人と一緒にいることができるのです。**

当時はわからなかったのですが、今思うと自分より稼いでいる人、自分が「こうなりたい」と思っている人と長く時間を共にすることは、現在の年収アップにも繋がっていました。知らな

「おじさん」とは
積極的に飲もう！

普段言いづらいことでも、酒の席なら言いやすく、
受け入れられやすい

い間に引き上げられていました。そのことに気づいてからは、無理して高いお金を出してでも、私が理想とする収入や仕事や生活をしている人と一緒にいる時間を増やしました。

現在、仲よくさせていただいている方の一例としては、バイアウトした会社をIPO（新規株式公開）に導いて大金を持っている方、大金持ちだけどバリバリ働いている方、今どきのITを使いこなして稼ぎまくっている若手実業家、ご自身の事業は社員に任せてユーチューバーとして稼ぎながらFIRE（早期退職&経済的自立）生活を楽しんでいる方など。そのような方々と、ワインやキャンプをご一緒させていただいたりしています。私を入れた参加者メンバーの平均年収は軽く億越えしていると思いますが、そんな輪に入れていただけるだけでもラッキーです。

アメリカの起業家、ジム・ローンの有名な提言で「周り5人の平均理論」というものがあります。自分の価値はいつも身の周りにいる5人を平均したものと同じという考え方で、それは年収においても然りです。ここ10年ぐらい、私はそのことをかなり意識していて、多少無理があっても先行投資して、そういう方に触れる機会を増やすようにしています。

自分より凄くて、自分が目指したい世界にいる人と、どんな場面でもいいので、一緒の時間を過ごすことが大切です。「この人といるのは嫌だな、楽しくないな」と思うのは、その人のいる世界が、自分の今いる世界と異なるからです。いつまでも自分と同じレベルの人と一緒にいても成長しません。それならば「おじさん」と飲みに行き、自分も同じ世界の住人になれるようにしていくチャンスと、仕事を円滑に進めるための人間関係を構築していくほうが得です。

できる人の仕事のやり方は、飲み会にも出ます。割り箸が出てくるお店であれば、テーブルやお皿に直に箸をおくのではなく、割り箸の包み紙で箸置きをつくる。グラスが空いている人がいれば、率先してお酌をする。周りを見て、どれだけ同じ場にいる人に心地よくなってもらえるか。そのようなことを考えて参加しているか否かだけでも、自分のスキルアップに大きく影響していきます。

営業は接待という重要な仕事があるので、接待の練習にもとても役に立ちます。特に仕事ができる「おじさん」は、さりげない振る舞いについて、よく見ています。また、普段言いづらいことでも飲み会では相談しやすくなるので使わない手はありません。たかが飲み会、されど飲み会。一緒に食事をする、飲むことの大切さを改めて考えてみてください。

まとめ

飲み会などでの立ち振る舞いを見られている

5-9

「おじさん」は短気（時間にうるさい）

仕事ができてベテランになればなるほど、現場には余裕をもって予定時間より早く来て待っていて、時間通りに動くことを意識しています。したがって、待ち合わせの場所などには早めに行っておくのが大切です。タイムイズマネーです。

時間は誰にも同じく平等に流れます。しかし、時間単価はそれぞれ違います。遅刻すると単価の高い人の時間を無駄に使うだけでなく、相手をイライラさせます。

仕事のできる「おじさん」は怒っていても何も言わないことも多々ありますが、怒ったときに表情が変わる人が結構います。イライラしているときは、逆に怒られなくてもいいことで怒られたりもします。

そうしたなかでの会話のスタートはマイナスから入るので、いいことなんてひとつもありません。

時間に関しては、早め早めの行動を意識したほうがいいでしょう。仕事の中身でイラッとさせるのは仕方がないかもしれませんが、「提出期限を守る」、「時間を守る」などの最低なマナーは厳守しましょう。

また、話をする際に重要なのは「結論を先に簡潔に伝える」ことです。結論が前もってわかっていれば、そのことについての説明もきちんと聞いてもらえます。

このようにマナー違反には厳しいところもありますが、「おじさん」は感情にまかせて怒らないようにしている面もあります。

イラッとしたら一回深呼吸をするなど、冷静にしようとがんばっているのです。怒りに身をまかせて、変な敵をつくらないようにしているためです。説明する際にも、前向きにロジカルに話をしようと努めています。

相手を傷つけたくない、嫌われたくない、気持ちよく仕事をしてもらいたいという気持ちの表れです。

仕事ができる「おじさん」は、人の悪口を言いません。基本、褒めてくれます。悪いところがあれば、否定形で起こるのではなく、アドバイス的に注意してくれます。決してやる気を損うような怒り方はしません。

まとめ

「おじさん」とのつきあいは、時間厳守が大切

おわりに

いかがでしたでしょうか。

本書を読み終えた方ならその瞬間から、稼げるマインドとコミュニケーション術を得たのも同然だと思います。実践し続ければ結果は必ず出ます。日々の営業活動だけでなく、あらゆる仕事の場面や私生活で実践してみてください。そして、少しでも成果が出たら、ＬＩＮＥで喜びの声を聞かせていただけるとうれしいです（文末に私のＬＩＮＥアカウントのＱＲコードを掲載したので、友達申請を首を長くしてお待ちしております）。

出版にあたり、きっかけを作っていただいたり、タイトルのアドバイスをいただいたりした六

本木の完全会員制サロン「Re:Birth」の方々、出版コーディネーターの小山さん、担当編集者の河田さん、構成の菊地さんには多大なるご支援をいただき、本当にありがとうございました。日頃から食事や旅行をご一緒させていただいている英国国立ウェールズ大学経営大学院つながりを中心とした仲間には、日頃から温かく接していただき、感謝しています。また、今までの人生で私とかかわってくださったすべての方々、生み育ててくれた両親、弟のおかげで現在の自分があると思っています。

さらに、出版にあたり、IBM時代の元上司、後輩、一緒に案件を行っていただいたSE職の方を中心に、「加藤がなぜ稼げる営業になったのか」そのヒアリングにご協力をいただきました。多くの方にコメントしていただくことにより、客観的に私の良いところに気づくことができました。少し手前味噌かもしれませんが、以下にそのコメントの内容をピックアップしてご紹介します。

■Aさん（30代前半男性営業）

「加藤さんの営業スタイルは、社内外問わず周りを巻き込むスタイルだと認識しています。それゆえに、案件に臨む体制が厚くなるため、オッズが上がるのだと考えます。

関係者を巻き込む上で躊躇がないことが、加藤さんスタイルの特徴ではないでしょうか」

■Bさん（50代男性SE部長）

「まずは営業としてやるべきことをきっちりやってくれたかな。だからパートナーは自分のやるべきことに集中できる。それで結果的に良い方向に進んでいく。押しが強いという人は多いと思うけど、それも営業としてやるべきことをやろうとしていたのだと思ってます。

それと言いにくいことをお客様であろうとはっきり伝えることかな。伝え方も前向きなニュアンスがあった気がするな。『その方がいいですよ、お客さん！』みたいなね。

それから、これは結果論かもしれないけど、敵も多いけどしっかりした味方がいたよね。○○さんもそうだし、私も。あまり参考にならないかもしれないけど、これが私の加藤さん観です」

■Cさん（50代男性営業部長）

「自社製品やソリューションが多少無理があっても、何とかお客様に貢献できそうとわかれば、まず徹底的にお客様に寄り添い、社内と戦って多少の無理を極力潰して、結果的に成約につなげる行動力かな。社内に厳し過ぎて時々ドキドキするけど（笑）。

多少無理があったら売らない人も、徹底的にお客様に寄り添おうとしない人も、社内で戦うことをしない人もいるけれど、そこをやる行動力がすごかった。

お客様への寄り添い方と、社内の戦い方は人それぞれのやり方だけどね。自分に合ったやり方で良いので、まずやり始めることが大事、行動するかしないかが重要」

■Dさん（40代女性SE）

「夏美さんはいつもシンプルな言葉で、提案できることは簡単そうに言うんですよ。で、なにか迷ってるお客さんには『そう？　できそうなの？　ふーん』みたいに思わせてくれるところがあるんじゃないですか。

おじさんたちって意外と弱くて、上には逆らえないし、下には慕われたいし、家族は守らないといけないから敵を作りたくないし、それで決断できない。そこに簡単に『できそうだ』と言われると、流れやすくなると思うんですよ。

それはタイミングも重要で、その計り方も夏美さんはいいんですよね。その押し方が不意に、お客様が『え？』と思うような瞬間だったりして。そこが絶妙なんじゃないですか？」

■Eさん（50代女性SE）

「加藤さんがなぜ稼げるのか……私の意見が適切か、役に立つかわからないけど、ざっとこういうことかな、と思います。

・稼げるモノ（案件）を嗅ぎ分ける嗅覚
・役に立つ人を見極める、うまく使う、キープする
・役に立たない人は見切る
・納得できないことに対して反論する
・右記のようなことや人に対する無用の遠慮はしない

要はゴールに対して必要なこと、不必要なこと、その判断と必要なことに対する執着心と実行力なのかなと思っています」

将来、上司や一緒に働く仲間からこのように見られるようになるマインドとコミュニケーションを意識することに、役立てていただければ幸いです。

ぜひ「おじキラー営業術」を実践し、新しい素敵な未来をつくってください。

この本を読んでくださったあなたが、今よりもずっと幸せになることを心の底から祈っております。

2023年3月　加藤 夏美

加藤夏美 Natsumi Kato

東京都出身、1996年中央大学経済学部卒業後、山丸証券を経て、1997年日本アイ・ビー・エム株式会社入社、法人営業に（製品担当、お客様担当、リース担当）。

2011年ウェールズ大学経営修士取得（MBA／日本語プログラム）。

2022年日本アイ・ビー・エム退社後より、日系ITベンチャー企業に勤務。

外資系IT大手のアイ・ビー・エムで25年法人営業に従事しながら社会人大学MBAを取得。にもかかわらず、英語はTOEIC600点以下で海外出張も昇進もできず、またコンピュータにも触ったことがなく、プレゼン資料のパワポ作成も大の苦手と、できないことばかり。

しかし、BtoBの営業として楽しく働きながら稼いでおり、2020年の最高サラリーマン年収は6,602万円。過去10年の平均年収は約1,800万円となっている。

また、サラリーマンをしながら、営業コンサルタント会社であるN.K.ナーツ株式会社代表取締役と、足つぼリフレクソロジーの足つぼ睡眠研究所株式会社のオーナーも兼務中。

〔出版コーディネート〕 小山睦男（インプルーブ）
〔構成〕 菊地一浩
〔カバー・本文デザイン〕 植竹裕（UeDESIGN）
〔カバーイラスト〕 iStock.com/ichiko
〔DTP 制作〕 西村光賢
〔本文イラスト〕 津久井直美

最高年収6602万円のBtoB営業ウーマンが教える

おじキラー営業術

2023年4月20日　初版第1刷発行

著者　加藤夏美
編集人　河田周平
発行人　佐藤孔建
印刷所　中央精版印刷株式会社
発行　スタンダーズ・プレス株式会社
発売　スタンダーズ株式会社
〒160-0008
東京都新宿区四谷三栄町12-4　竹田ビル3F
営業部　Tel.03-6380-6132　Fax.03-6380-6136
https://www.standards.co.jp/